D0230672

9

Pour tous les amoureux de cupcakes,
en particulier les deux qui vivent
sous le même toit que moi

Titre original : *Just Grace and the Trouble with Cupcakes*
Publié par arrangement spécial avec Houghton Mifflin Harcourt
Publishing Company (New York, États-Unis), 2013

Loi n° 49-956 du 16 juillet 1949 sur les publications destinées à la jeunesse,
modifiée par la loi n° 2011-525 du 17 mai 2011.
ISBN : 978-2-09- 255195-0
Dépôt légal : mai 2014

Écrit et illustré
par Charise Mericle Harper

Traduit de l'anglais (États-Unis)
par Anne Delcourt

Nathan

Six Trucs Qu'on Ne Peut Pas Savoir Rien Qu'en Me Regardant

1. Qu'il y a des gens qui croient que je m'appelle Zoé Tout Court, alors que c'est juste Zoé. Ça peut arriver si la maîtresse ne comprend pas quand on lui dit : « Je voudrais qu'on m'appelle Zoé tout court. »

2. Que j'ai beaucoup de chance parce que Mimi, ma meilleure amie, habite tout à côté de chez moi. Et, encore mieux, que les fenêtres de nos chambres se trouvent pile en face l'une de l'autre.

3. Que j'ai une amie hôtesse de l'air qui s'appelle Augustine Dupré, et qui vit avec son mari dans un chouette appartement au sous-sol de ma maison.

4. Que j'aime bien faire des bandes dessinées parce que ça me met de bonne humeur.

Comment Faire une Bande Dessinée

Alors Allez-Y, Essayez !

5. Que je suis en CE2 et que ma maîtresse, c'est mademoiselle Loïs.

6. Que j'ai un chien fille qui s'appelle Monsieur Canaille. Elle s'appelait comme ça quand on l'a eue, mais ça n'est pas grave, parce que, maintenant, je suis habituée.

Ce qu'il y a de mieux quand on est dans la classe de Mlle Loïs

Dans notre classe, tout le monde attend le jour où Mlle Loïs va annoncer:

« Aujourd'hui, on commence à préparer la kermesse du printemps. » C'est parce que, tous les ans, la classe de Mlle Loïs travaille sur un projet spécial pour la kermesse. C'est le truc le plus chouette de toute l'année. Et c'est uniquement pour ça que, quand d'autres élèves apprennent qu'on a Mlle Loïs comme maîtresse, ils nous disent : « La chance ! »

Les cinq choses que je sais sur la kermesse

1. C'est sympa, super marrant, et il y a des jeux et des prix à gagner et même des courses en sac.

2. C'est notre classe qui doit inventer les jeux.

3. Tout le monde aide pendant la kermesse, même les parents.

4. Tout le monde vient, même des gens qui ne sont pas de notre école.

5. Il y a une machine à barbe à papa.

Tous les lundis depuis le début du printemps, je me dis : « Je parie que c'est aujourd'hui qu'on va commencer à préparer la kermesse. » Et tous les lundis, je perds mon pari.

Comment je sais que Mlle Loïs va parler de la kermesse un lundi

Quand Mlle Loïs annonce à sa classe qu'il est temps de travailler sur la kermesse, ça se passe toujours pile de la même façon. Je le sais parce que Benny, le cousin de Zoé F., avait Mlle Loïs comme maîtresse l'an dernier et qu'il le lui a raconté.

Benny a dit que, dès que les élèves ont vu

le chapeau, ils ont commencé à applaudir et à crier comme des fous, et que Mlle Loïs a juste continué à sourire. Cette partie-là de l'histoire est dure à croire, parce que Mlle Loïs n'est pas une maîtresse qui laisse ses élèves crier. La partie que j'arrive à croire, c'est celle où Benny a dit que c'était le truc le plus sympa qu'ils avaient fait de toute l'année. Les enfants, ça ne ment pas sur les trucs sympas.

Si vous voyiez Mlle Loïs, vous ne croiriez jamais que c'est le genre de personne qui peut mettre des chapeaux rigolos. Ça montre qu'on ne peut pas tout savoir sur les gens rien qu'en les regardant. Et Mlle Loïs réserve encore d'autres surprises : en plus de porter des chapeaux rigolos, elle les fabrique ! Toute seule, même !

Mimi trouve que Mlle Loïs devrait avoir la médaille d'or des fabricants de chapeaux, parce que les siens sont magnifiques et super originaux. C'est un grand compliment parce que Mimi est très forte en travaux manuels, et qu'elle ne donnerait pas la médaille d'or à Mlle Loïs si elle ne la méritait pas.

Ça n'est pas facile de m'avoir.

La médaille d'or des fabricants de chapeaux

La surprise de Mlle Loïs

Ah ben ça, alors ! La surprise, c'était pour aujourd'hui ! Et on n'était même pas un lundi, mais un vendredi !

Un quart d'heure avant la fin de la classe, Mlle Loïs est sortie du débarras avec un chapeau géant sur la tête. C'était le chapeau-nid de l'an dernier. Aussitôt, on a tous compris ce qui se passait : c'était le moment de commencer à préparer la kermesse !

Ce que j'ai appris sur le cousin de Zoé F.

Benny avait un peu exagéré, parce que dès

qu'Alex Walters s'est mis à crier, Mlle Loïs l'a montré du doigt et elle a dit : « Alex ! On ne crie pas. » Mais elle nous a quand même laissés applaudir. Sur cette partie-là, il n'avait pas menti.

Ce Qui Est Fort

Pendant qu'on rentrait chez nous, Mimi a senti que je n'étais pas dans mon état normal. Les meilleurs amis sont comme ça : ils savent ce qui se passe à l'intérieur même si, à l'extérieur, on a l'air comme d'habitude. Je lui ai expliqué que j'étais grognon parce que Mlle Loïs avait parlé de la kermesse un vendredi.

Ce Que Mimi A Dit Sur Mlle Loïs

– Peut-être qu'elle avait trop hâte pour attendre lundi !

– Peut-être bien, ai-je répondu. Mais j'aurais quand même préféré que ça tombe un autre jour. Mamie arrive demain et, maintenant, mon cerveau va être tout embrouillé. Il va avoir trop de trucs auxquels penser.

– Je suis sûre que ton cerveau arrive à penser à plusieurs choses à la fois, m'a rassurée Mimi.

Je me suis dit qu'elle avait raison et ça m'a un peu consolée. Maintenant, j'étais presque contente, et juste un tout petit peu grognon.

grognon + contente = grontente

C'était un tout nouveau mot de sentiment. J'ai dit à Mimi :

– Il devrait y avoir plus de mots pour les sentiments.

Elle a fait oui avec la tête, et j'ai décidé que j'allais essayer d'écrire une liste.

– Qu'est-ce que tu vas faire ce week-end avec ta grand-mère ? m'a demandé Mimi.

C'était une bonne question, et du coup j'ai arrêté de penser aux sentiments, ce qui tombait bien aussi. Mon cerveau avait besoin de garder de l'énergie pour mamie, parce que j'avais une mission, qui était de rendre sa visite cent pour cent parfaite.

J'ai parlé à Mimi du dîner spécial que maman allait préparer, du restaurant où on allait emmener mamie pour un brunch surprise, et de l'affiche que j'allais accrocher sur la porte de sa chambre.

Mais le plus chouette dans cette histoire, c'était que mamie allait enfin faire la connaissance de M. Canaille. C'était incroyable qu'elle ne l'ait jamais rencontrée. Mamie a vu plein de photos de M. Canaille, mais c'était la première fois qu'elle allait la voir en chair et en os.

– Ta grand-mère va adorer M. Canaille, m'a assuré Mimi. C'est le meilleur chien du monde entier !

C'était sympa de l'entendre dire ça. Ça m'a fait plaisir et, en plus, c'est vrai.

– Je lui ai appris un nouveau tour, ai-je précisé. Mamie adore les chiens qui connaissent des tours.

Mimi a eu l'air étonnée.

– Un nouveau tour ? Et elle est prête ?

J'allais tout lui expliquer, quand j'ai eu une meilleure idée.

Ma meilleure idée

Comme on était sur le trottoir devant chez moi, j'ai attrapé Mimi par la main et je l'ai entraînée vers ma porte d'entrée.

– Viens, je vais te montrer.

De l'autre côté de la porte, M. Canaille aboyait comme une folle. Mimi a reculé.

Elle n'aime pas trop quand M. Canaille est super excitée et qu'elle saute partout.

Mimi s'est retournée et elle m'a demandé :

– Et si je passais chez moi déposer mon cartable ? Je reviens après.

– D'accord, ai-je dit.

Je l'ai regardée partir, puis j'ai ouvert la porte tout doucement, prête à affronter la boule de poils surexcitée qui m'attendait.

Ce qui est vraiment génial

Avoir un chien qui est super content de vous voir. M. Canaille se comporte toujours comme si j'étais partie depuis des jours entiers, même quand ça fait seulement cinq minutes. Les chiens sont spéciaux pour ça. Ils sont remplis d'amour. Même si j'aime beaucoup les chats, ça n'est pas pareil. Je suis amie depuis longtemps avec Chiffon, le chat des voisins, mais il n'a pas la même sorte d'amour pour moi que M. Canaille.

Le meilleur moyen de calmer M. Canaille rapidement, c'est de l'emmener dans le jardin. Elle adore aller voir s'il y a des écureuils à pourchasser. C'est bête qu'on ne puisse pas organiser une chasse à l'écureuil surprise. Ce serait un cadeau parfait pour un chien.

Le nouveau tour de M. Canaille

Je croyais que M. Canaille apprendrait le nouveau tour facilement, parce qu'elle en connaît déjà toutes les parties. Mais je m'étais trompée. Même avec une boîte entière de biscuits pour chiens, le nouveau tour n'était toujours pas au point.

M. Canaille arrivait très bien à s'asseoir, mais dès que je lui prenais la patte, elle se laissait tomber par terre. Si elle savait parler, elle m'aurait sûrement dit :

– Mais qu'est-ce que tu lui veux, à ma patte ? Tu peux me la rendre et me donner ce biscuit ?

C'est un peu injuste de dire à son chien « pas de biscuit » quand il fait des efforts. Alors, même si elle n'y arrivait pas bien, je lui donnais le biscuit. Dommage que tomber par terre ne soit pas un tour qui épate les gens, parce qu'elle était super forte pour ça.

J'étais là, dans le jardin à la regarder, quand tout à coup, elle a sauté en l'air et couru jusqu'au portillon. C'était Mimi qui revenait.

– Alors ? m'a-t-elle demandé. Ça a marché ?

– Je crois qu'elle n'y arrivera jamais, lui ai-je répondu. Elle ne comprend pas ce qu'elle doit faire.

J'ai expliqué le tour à Mimi, et pourquoi j'avais cru que ce serait facile.

– Ça n'est pas comme si je lui demandais un truc impossible, ai-je gémi.

Et une partie de ma tête avait envie d'abandonner, mais je ne l'ai pas dit tout haut.

La Phrase De Mimi Qui A Tout Changé

– Attends, je vais t'aider, m'a proposé Mimi. Je vais tenir le biscuit, et pendant ce temps-là, toi, tu lui montreras ce qu'elle doit faire.

J'ai réfléchi un moment, et j'ai répondu :

– OK.

Ce n'était pas comme ça que je m'y prenais d'habitude pour apprendre des tours à M. Canaille, mais Mimi avait peut-être raison. Ça valait la peine d'essayer.

J'ai appelé M. Canaille et je l'ai fait asseoir à côté de moi, puis j'ai indiqué à Mimi où tenir le biscuit.

– Maintenant, regarde-moi, ai-je dit à M. Canaille.

Et j'ai mimé ce qu'elle devait faire.

Dès que j'ai levé la main, Mimi a éclaté de rire. Elle riait tellement qu'elle a fait tomber le biscuit. Évidemment, M. Canaille s'est jetée dessus pour l'engloutir.

– Je ne voulais pas dire que tu devais faire le tour à la place de M. Canaille, m'a expliqué Mimi, qui riait toujours. Je pensais que, pour lui montrer, tu lui tiendrais la patte !

Faire les choses avec Mimi, c'était bien plus drôle que de les faire toute seule.

Une fois qu'on a arrêté de rire, on a décidé d'essayer vraiment à la manière de Mimi. Elle est forte pour ça. Elle n'est pas spécialiste avec les chiens, mais elle l'est avec les petits frères, et ça ne doit pas être très différent. Son petit frère s'appelle Alex, elle lui a appris à faire et aussi à ne pas faire des tas de trucs. Grâce à elle, il sait qu'il ne doit pas lancer son ballon dans la rue, ni mettre des chaussettes dans les toilettes et tirer la chasse, et qu'il faut toujours jeter sa sucette à la poubelle quand elle tombe sur le trottoir. Tout à coup, j'étais bourrée d'énergie. Surtout que le tour de M. Canaille était beaucoup plus facile que tous ces trucs-là.

– Je retourne chercher des biscuits pour chiens ! ai-je dit.

J'ai filé à la cuisine prendre tout le paquet. Quand je suis ressortie, Mimi était en train de shooter dans une balle pour le lancer à M. Canaille. Courir après une balle, c'est le troisième jeu préféré au monde de M. Canaille, qui vient tout de suite après pourchasser les écureuils et poursuivre Chiffon. Le seul problème avec ce jeu, c'est qu'une fois qu'on a commencé, M. Canaille ne veut plus s'arrêter. Je n'étais plus sûre qu'elle allait s'intéresser aux biscuits et au nouveau tour, maintenant que son cerveau ne pensait qu'à courir après la balle. J'espérais qu'elle était comme moi et qu'elle savait penser à deux choses en même temps.

Ce Qui Est Triste, Mais Vrai

Le cerveau de M. Canaille ne peut penser qu'à une chose à la fois. Quand j'ai secoué le paquet de biscuits, elle m'a regardée à peine une seconde et elle a recommencé à fixer la balle au pied de Mimi.

La balle
Le pied de Mimi

– Je crois que je vais devoir me servir de la balle à la place des biscuits, ai-je dit.

Mimi a reculé son pied et elle a donné un petit coup dans la balle. C'était un peu raté, mais M. Canaille s'en fichait. Elle a sauté sur la balle et l'a tenue dans sa gueule en bavant partout dessus.

– Moi, je ne touche plus ce truc ! s'est écriée Mimi. C'est couvert de bave !

Elle s'est frotté les mains sur son pantalon, comme si elle les avait salies rien qu'en en parlant. Je pouvais la comprendre, parce que c'est assez dégoûtant. Mais comme j'ai l'habitude et que j'adore M. Canaille, pour moi, ça n'était pas pareil.

– Ça ne fait rien, ai-je répondu, je vais tenir la balle. Toi, tu n'as qu'à tenir M. Canaille.

– D'accord, a dit Mimi. Je vais essayer.

Ce qui était facile

Tenir M. Canaille.

Ce qui était impossible

Obliger M. Canaille à rester debout quand on la lâchait. Chaque fois que Mimi lui prenait la patte, elle se couchait.

On est restées là à regarder M. Canaille, qui nous regardait.

– Ça pourrait peut-être être ça, le tour, a suggéré Mimi.

J'ai fait non avec la tête : ça n'était carrément pas un vrai tour.

Ce Qui Était Trop Bête

Qu'on ne puisse pas expliquer à M. Canaille ce qu'on attendait d'elle. De tous les mots que je disais, je ne pense pas qu'elle en comprenait un seul.

J'ai essayé en répétant plein de fois « bon chien », mais ça n'a servi à rien. Au bout de la sixième fois, au lieu de revenir vers moi, elle a filé en haut des marches pour aller gratter à la porte. Elle voulait rentrer. Maintenant, c'était sûr : elle détestait le tour. J'ai regardé Mimi d'un air découragé. Ça n'allait pas du tout.

Mimi a voulu me consoler.

– On pourrait peut-être lui mettre quelque chose de joli ! Je peux t'aider à fabriquer un nœud à lui attacher autour du cou !

C'était gentil de la part de Mimi. J'ai fait oui de la tête avec un mini-sourire. C'est dur d'être gai quand on a une mission qui vient de rater.

À la fin, on a laissé rentrer M. Canaille

et on est allées chez Mimi. Fabriquer un nœud, c'était bien plus facile que d'apprendre un nouveau tour à M. Canaille. J'espérais juste que le résultat serait aussi chouette.

Ce que je voulais qui se passe

Chez Mimi

Mimi avait des tonnes de matériel de travaux manuels, mais il ne m'a fallu que deux secondes pour choisir les trucs parfaits pour le nœud de M. Canaille. Les couleurs préférées de mamie sont le jaune et le bleu, et pile en plein milieu de tout le reste, il y avait du tissu jaune à pois bleus.

– Parfait, a déclaré Mimi. Tout ce qu'on a à faire, c'est découper les parties du nœud et les coudre ensemble.

Comme elle est super douée pour fabriquer des choses, je l'ai laissée s'occuper de découper et de coudre. Pendant ce temps-là, j'ai rangé le bazar qu'elle avait mis en sortant toutes ses affaires de l'armoire. Mimi est aussi super forte pour mettre le bazar.

Maintenant que je n'avais plus besoin de penser à mamie, j'ai recommencé à penser à la kermesse. Notre premier travail, c'était de trouver un thème pour nos jeux. L'année dernière, la classe de Mlle Loïs avait choisi les oiseaux. C'est pour ça que le chapeau de Mlle Loïs était un nid géant.

Mlle Loïs a précisé qu'elle ne voulait pas être bombardée par des centaines d'idées et que chaque élève n'avait droit qu'à une proposition. Quand on les aura toutes rassemblées, on votera pour choisir celle qui sera notre thème. Évidemment, avec les votes, il y en a toujours qui sont déçus. Mlle Loïs va devoir se préparer à avoir un gagnant super content et des tas d'autres élèves tout tristes.

Ce qui n'est pas facile

Ce n'est pas parce qu'on veut avoir une bonne idée qu'on y arrive.

Ça m'a énervée de ne pas réussir à trouver une bonne idée. Et pas seulement énervée, mais énervée et fâchée.

– Énervachée ! me suis-je exclamée.

Mimi a relevé la tête et m'a demandé :

– C'est quoi ? Une sorte de maladie ?

J'ai secoué la tête.

– Non, c'est énervée plus fâchée.

– Tu es forte pour inventer des mots, m'a dit Mimi.

J'ai souri. Les compliments, c'est toujours agréable. C'est un peu comme de recevoir une petite pluie de bonheur.

Environ une heure plus tard, on avait un nœud tout neuf pour M. Canaille et une liste de deux idées plutôt bonnes pour la kermesse.

Nos bonnes idées pour la kermesse et qui les a eues

1. LES SUPERPOUVOIRS (on pourrait inventer des jeux sur différents superpouvoirs) : moi
2. LES BONBONS (avec différentes sortes de bonbons pour chaque jeu) : Mimi

Une fois qu'on a eu une idée qui nous plaît, c'est dur d'en trouver une autre qui nous paraisse meilleure. J'aimais bien celle des superpouvoirs. Je pensais qu'elle m'allait bien.

Ce que J'ai Tout De Suite Su

Les bonbons, c'était la meilleure idée de la liste. « Meilleure », ça ne veut pas dire la même chose que « préférée ». Ma préférée, c'était la mienne. Mais je savais que les bonbons étaient le genre d'idée que toute la classe trouverait géniale.

Notre Promesse

J'ai regardé Mimi et j'ai dit :

– Si tout le monde préfère ton idée, c'est idiot que j'essaie de faire gagner la mienne. Je n'ai pas envie qu'il y ait la bagarre entre nos idées.

Mimi a eu l'air étonnée.

– Tu as raison, a-t-elle déclaré. Moi non plus, je n'aimerais pas ça. Si c'est ton idée qui plaît le plus, je ne parlerai plus du tout de la mienne.

– Serment du petit doigt, ai-je dit.

J'ai tendu mon petit doigt et Mimi l'a pris avec le sien en répétant :

– Serment du petit doigt.

C'était décidé.

Après le serment du petit doigt, on est retournées chez moi pour mettre son nœud à M. Canaille. Évidemment, M. Canaille a détesté ça, mais ça n'était pas surprenant. Elle déteste tous les accessoires. Au début, elle a essayé de l'enlever avec les dents, mais on l'a emmenée dans le jardin pour lui lancer la balle, et elle a aussitôt oublié qu'elle le portait. Ça lui allait super bien. Tout ce que j'avais à faire, c'était lui mettre juste avant que mamie arrive, et ensuite, l'empêcher de le mâchonner jusqu'à ce que mamie l'ait vu. Ça ne devait pas être très compliqué !

Ce que maman a dit à propos de mamie

Elle a dit :

– Il ne faudra pas trop fatiguer mamie avant son grand voyage.

J'ai fait oui avec la tête, mais j'étais triste. Ce n'était pas juste que mamie reste chez nous seulement pour le week-end. Le dimanche soir, elle prenait l'avion pour la France pour aller retrouver son amoureux M. Costello, et d'autres amis du Bois Ombragé – là où elle habite. Tous ensemble, ils allaient faire un voyage génial en France, visiter des châteaux et Paris. Ça avait l'air super, bien mieux que deux semaines de classe.

Quand je vois mamie, on essaie toujours d'avoir une activité spéciale, rien que toutes les deux. Je l'ai bien rappelé à maman, pour qu'elle n'oublie pas. Après que je lui ai demandé une centaine de fois, elle a fini par me donner le choix entre deux choses : le déjeuner de samedi ou deux heures dimanche après-midi. J'ai choisi le déjeuner, parce que ça collait parfaitement avec mon plan, qui commençait par un « p » et qui finissait par un « e ».

Mon Plan de Pique-Nique

1. Mettre son nœud à M. Canaille et l'emmener en pique-nique avec mamie.

Quelle bonne idée ! J'adore les pique-niques !

Panier de pique-nique rempli de trucs super bons

Viens, mamie, ça va être génial !

2. M'asseoir dans le parc sur la balancelle avec mamie et M. Canaille.

3. Manger des sandwichs délicieux et boire du thé glacé au citron.

4. Faire une promenade toutes les trois et prendre une photo de mamie, M. Canaille et moi ensemble, pour avoir un souvenir de cette journée-là pour toujours.

Maman m'a promis de préparer des biscuits à la cannelle. J'adore ses biscuits à la cannelle, peut-être même encore plus que la barbe à papa. Mais je n'allais pas lui dire, ça risquait de me créer des ennuis plus tard.

Une fois que maman est partie faire les courses, je suis montée dans ma chambre travailler sur l'affiche de bienvenue pour mamie. Elle va dormir dans la chambre à côté de la mienne. C'est chouette qu'elle soit tout près. Quand la grand-mère de Mimi vient la voir, elle doit dormir toute seule au rez-de-chaussée. Ça ne me plairait pas. Je préfère avoir ma famille tout autour de moi.

En fabriquant l'affiche de bienvenue, j'ai eu une autre idée, qui était peut-être encore meilleure que celle de l'affiche.

Ça tombait bien que maman soit partie longtemps, parce que ça a été plus long que prévu de tout préparer. Quand elle est enfin revenue, je mourais de faim, mais j'avais à peu près terminé.

Après le Dîner

Après la vaisselle, papa et maman m'ont aidée à installer l'affiche. Ils l'ont adorée. J'avais presque aussi hâte de voir mamie que si elle avait été une star !

J'ai raconté à M. Canaille des tas de choses à propos de mamie, et elle m'a bien écoutée, même si elle ne comprenait pas ce que je disais. J'étais super pressée qu'elles se rencontrent. Ça allait être le coup de foudre.

Le Lendemain Matin

M. Canaille et moi, on s'est levées tôt. Il faisait beau, c'était une journée parfaite pour pique-niquer. Maman devait être excitée aussi parce qu'elle s'était levée encore plus tôt que nous, et qu'elle m'a même proposé de me préparer du pain perdu. J'aime bien en manger quand j'ai besoin d'énergie, ou quand je suis inquiète à propos d'un truc. Là, ce n'était aucun de ces deux cas, mais j'ai quand même dit oui. Avoir de l'énergie en plus, ça ne peut pas faire de mal.

Ce qui m'a rendue encore plus contente

Voir une assiette de biscuits à la cannelle tout frais sur le plan de travail de la cuisine. Maman m'a dit de ne pas en manger parce qu'il fallait les garder pour mamie.

Ce Qui Est Dur

Se retenir de prendre un biscuit pour voir s'ils sont aussi bons au goût qu'à l'odeur.

Attendre Mamie

Après le petit déjeuner, papa m'a demandé d'aller jouer dehors avec M. Canaille.

– Essaie de l'épuiser en lui lançant la balle.

M. Canaille a entendu papa prononcer les mots « balle » et « dehors », et elle m'a aussitôt regardée en dressant les oreilles. Quand elle entend des mots qu'elle comprend, elle est toujours super curieuse de voir ce qui va se passer après. Dès que j'ai dit : « OK » et que je me suis levée, elle a filé à la porte du jardin. Elle est maligne avec les mots qu'elle connaît.

C'était une bonne idée de lui faire dépenser un peu de son énergie avant l'arrivée de mamie. Même si mamie adore les chiens, elle est sûrement un peu comme Mimi. Tout le monde n'aime pas les chiens qui sautent et qui aboient, et Barnaby, le vieux chien de mamie, ne faisait rien de tout ça.

J'ai joué à la balle avec M. Canaille pendant presque une heure. À la fin, elle était vraiment fatiguée, et j'avais mal au bras. On s'était toutes les deux bien dépensées.

Le reste de la matinée a duré une éternité. Le temps d'attente, ça avance bien plus lentement que le temps normal. Le seul truc sympa que j'ai fait après avoir joué avec M. Canaille, c'était de préparer le pique-nique. Maman m'a aidée à faire les sandwichs, mais pour le reste, je me suis débrouillée toute seule. Après, j'ai tout posé sur le plan de travail, pour être sûre que je n'avais rien oublié. Ça avait l'air parfait.

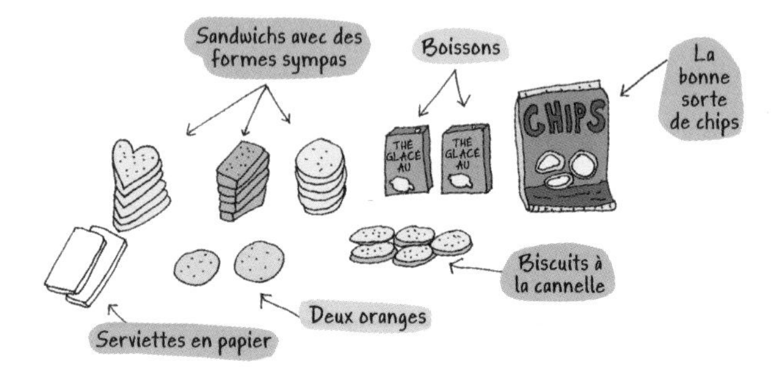

L'aéroport

Généralement, quand mamie vient nous voir, je vais la chercher à l'aéroport avec maman. Mais cette fois, c'était différent. Je suis restée à la maison. Ça m'a fait drôle de voir maman partir sans moi, mais je n'avais pas le choix. Je voulais que M. Canaille porte son nouveau nœud quand mamie la verrait, et ça n'était pas du tout possible que je la laisse toute seule une fois que je le lui aurais mis. Je savais qu'une seconde plus tard elle l'aurait arraché.

M. Canaille la menteuse

M. Canaille a regardé par la fenêtre avec moi jusqu'à ce que la voiture de maman disparaisse, et on s'est affalées sur le canapé.

– Mamie va être triste de ne pas me voir à l'aéroport, ai-je dit.

M. Canaille n'a pas réagi.

– Je ne veux pas te faire de peine, mais c'est à cause de toi.

M. Canaille n'a pas bougé. Je lui ai donné une petite caresse sur la tête.

– Mais ça n'est pas grave, tu en vaux la peine, ai-je ajouté.

On est restées assises comme ça longtemps, avec moi qui parlais et elle qui écoutait. Et comme j'ai fait bien attention à ne pas utiliser un des mots qui la font sauter partout comme une folle, c'était assez reposant.

Les mots qui font sauter M. Canaille partout

Écureuil
Biscuit
Chat
Promenade
Balle
Dehors
Parc

Au bout d'environ une demi-heure, je suis montée chercher le nœud dans ma chambre pour être prête. Bien sûr, M. Canaille m'a suivie. Dès qu'elle a vu le nœud, elle a mis la queue entre les pattes et m'a regardée avec de grands yeux tristes. Elle détestait vraiment ça.

J'ai essayé de la convaincre :

– Ça va aller, tu vas voir. Il suffit que tu le gardes cinq minutes.

Elle n'a pas eu l'air plus gaie. J'ai mis le nœud comme un foulard autour de mon cou et je l'ai attaché.

– Tu vois ? Ça n'est pas si terrible !

J'ai grimpé sur mon lit et je me suis mise à sauter pour qu'elle voie comme ça me mettait de bonne humeur. Tout à coup, elle s'est sentie mieux. M. Canaille adore les jeux où on saute.

Sauter sur mon lit, ça n'était peut-être pas la meilleure chose à faire juste avant l'arrivée de mamie. Mais je n'ai pas réfléchi. Je voulais seulement mettre M. Canaille de bonne humeur.

Ce qui ne s'est pas passé

Je n'ai pas entendu la porte s'ouvrir, mais M. Canaille si. Elle a des oreilles de superhéroïne. Une seconde, elle sautait sur le lit avec moi, et la seconde d'après, elle avait disparu et dévalait l'escalier en aboyant comme une dingue. J'ai tout de suite compris que ça se présentait mal. Je l'ai poursuivie, mais c'est une rapide. Je n'ai pas pu la rattraper pour lui mettre son nœud.

Le Pouvoir D'un Thé Avec Des Biscuits

Le thé avec des biscuits, ça peut aider à se sentir mieux, surtout quand on est déçu de ne pas avoir un chien super classe pour accueillir sa grand-mère. Mais ça n'a pas du tout gêné mamie ; M. Canaille lui a tout de suite plu.

Mamie m'avait apporté un cadeau.

Normalement, je n'ai pas beaucoup de patience comme ouvreuse de cadeaux et j'aime bien arracher le papier. Mais comme maman et mamie me regardaient, je m'y suis prise plus doucement que d'habitude. Et sous le papier, il y avait encore de l'emballage !

Le papier à bulles s'enlevait facilement et dedans, bien au milieu, il y avait un petit pot magnifique avec un couvercle peint dans mes couleurs préférées, le bleu et le vert. Je l'ai secoué, et quelque chose tintait à l'intérieur.

– C'est une tirelire à pièces porte-bonheur, m'a expliqué mamie. Avec deux pièces porte-bonheur dedans. Chaque fois que tu en trouves une, tu dois la mettre dans ton petit pot. Et quand tu as un vœu à faire, il te suffit de prendre une pièce dedans.

Puis elle a ajouté en chuchotant :

– Ça peut aussi être une bonne idée d'en garder toujours une pour le cas où tu en aurais vraiment besoin.

– Merci, mamie ! me suis-je exclamée en me penchant pour lui faire un gros câlin.

J'avais déjà un souhait, mais je n'ai rien dit. Un souhait, ça doit rester secret, surtout si on veut qu'il se réalise.

Pendant que maman et mamie préparaient le thé, j'ai sorti une pièce du pot pour faire mon vœu. Mon idée du nœud avait déjà raté et je ne voulais pas qu'il y ait un autre problème. Comme mamie ne m'avait pas dit ce qu'on devait faire de la pièce après avoir fait le vœu, je l'ai mise dans ma poche. Il faudrait que je pense à lui demander plus tard. Ensuite, on s'est installées pour prendre le thé. Maman avait même prévu un spécial pour moi. Au début, ça ne m'a pas tellement plu, mais après, elle a ajouté du sirop d'érable et c'était délicieux. J'ai pris un biscuit et écouté mamie parler de son voyage. Du coup, j'aurais voulu avoir deux autres pièces pour faire des vœux. En tout cas, les idée de vœux, c'est plus facile à trouver que les idées de thème pour la kermesse.

Mes deux nouveaux voeux

1. Pouvoir aller voir la tour Eiffel, parce que c'est le monument le plus célèbre en France.

2. Que mamie et moi, on puisse s'asseoir sur la meilleure balancelle au parc.

Plus tard dans la matinée

Après avoir rangé tous les trucs du pique-nique dans un panier, j'ai encore essayé de mettre son nœud à M. Canaille, mais elle a reculé et filé se cacher derrière le canapé.

– Ça n'a pas l'air de lui plaire, a remarqué mamie. Tu n'as qu'à le mettre sur le panier du pique-nique, ça fera joli.

J'ai failli répondre : « Non, M. Canaille doit mettre son nœud », mais j'ai changé d'avis. Au fond, le nœud, c'était pour faire plaisir à mamie. Si elle préférait le voir sur le panier plutôt qu'au cou de M. Canaille, c'était aussi bien. Je suis sûre que M. Canaille était contente que ça se finisse comme ça.

Le Pique-Nique

J'ai croisé les doigts pendant tout le chemin. Les meilleurs bancs sont les balancelles et il n'y en a que deux au parc. Si des gens les avaient déjà prises, on serait obligées d'aller s'asseoir sur les bancs normaux sans intérêt, et ça ne collait pas du tout avec mon plan.

La meilleure balancelle est celle qui se trouve à côté des massifs de fleurs et de l'étang. De l'autre balancelle, la vue n'est pas géniale, juste des buissons, mais c'est mieux que rien. Dès qu'on est arrivées au parc, j'ai vu qu'il y avait deux dames sur la bonne balancelle. Je voulais attendre qu'elles s'en aillent, mais mamie a dit :

– Regarde, on a de la chance. L'autre est libre.

Elle est forte pour prendre les choses du bon côté. Il y avait une petite flaque sous la balancelle, mais on a réussi à s'installer sans se mouiller les pieds. Et une fois qu'on a commencé à se balancer, je ne pensais plus du tout à ma déception.

M. Canaille a voulu s'asseoir avec nous. Je ne savais pas trop si elle pouvait, mais mamie a dit :

– Plus on est de fous, plus on rit.

Alors j'ai laissé M. Canaille sauter sur la balancelle.

À la maison, on n'a pas le droit de lui donner à manger sous la table. Mais comme on n'était pas à la maison, et qu'on était sur une balancelle et pas à table, je n'ai rien dit quand mamie lui a donné un bout de son sandwich. C'était dur de lui refuser, parce qu'elle regardait chaque bouchée qu'on prenait. Au début, tout se passait bien, mais au bout de quelques minutes, M. Canaille en voulait toujours. Et quand elle veut quelque chose, elle ne sait pas rester tranquille ; elle aboie. Du coup, ça n'était pas un déjeuner très reposant.

Ça m'a rappelé la règle de papa.

Papa avait raison. Je voyais que c'était en train d'arriver. On a dit à M. Canaille d'arrêter mais ça n'a pas marché. Tout ce qui l'intéressait, c'était le sandwich de mamie, et que ce sandwich soit dans sa gueule.

– Je suis désolée ! ai-je crié.

Mamie avait du mal à m'entendre pardessus les aboiements.

– C'est ma faute ! a-t-elle crié.

J'ai fait oui de la tête, parce que c'était vrai. Tout à coup, j'ai eu une idée. M. Canaille arrête toujours d'aboyer quand je lui montre une balle. Alors j'ai pris une orange dans le panier du pique-nique.

– Regarde, une balle ! me suis-je exclamée.

Elle a arrêté d'aboyer et regardé l'orange. Sa queue a commencé à remuer. J'ai agité l'orange en l'air, en avalant mon sandwich le plus vite possible. Ça n'était pas une manière très agréable de manger, mais au moins, il n'y avait plus de bruit.

J'avais raison de penser que ça ne durerait pas, parce que, quelques secondes plus tard, M. Canaille s'est remise à aboyer pour que je lui envoie la balle. Pour que ce soit plus intéressant pour elle, j'ai levé le bras comme si j'allais lancer l'orange, sauf que, sans le faire exprès, je l'ai laissée tomber. À la seconde où l'orange a roulé de ma main, M. Canaille a sauté de la balancelle pour l'attraper. Au passage, elle a bousculé le panier du pique-nique qui s'est renversé au milieu de la flaque. Une vraie catastrophe !

Ce que Mamie a dit

– Oh, Zoé, je suis désolée ! C'est ma faute, je n'aurais pas dû laisser M. Canaille monter sur la balancelle.

Ça ne m'a pas consolée, et même, je ne sais pas pourquoi, ça a fait le contraire.

Je me suis sentie encore plus mal. J'ai essayé de me retenir, mais je n'ai pas réussi et je me suis mise à pleurer.

Ce qui est super dur

C'est super dur de voir où on va quand on a les yeux remplis de larmes. En sautant de la balancelle, j'ai atterri les deux pieds dans la flaque. Maintenant, non seulement le panier du pique-nique était tombé dans la flaque, mais j'avais aussi les pieds mouillés et couverts de boue. Mamie a ramassé le panier, qui était tout sale et dégoulinant.

– Les biscuits ! me suis-je écriée.

C'était ce que je préférais de tout le pique-nique !

– Allons, allons, a dit mamie, je suis sûre qu'il en reste à la maison.

J'ai fait non avec la tête. C'était les derniers biscuits, maman n'en avait pas prévu beaucoup.

Mamie et M. Canaille me regardaient toutes les deux d'un air triste. Du coup, je me suis sentie un peu mieux et j'ai arrêté de pleurer.

– J'ai une idée, a repris mamie. Si on

rentrait à la maison pour faire des cupcakes ? Tu aimes ça, non ?

J'ai fait oui avec la tête.

– Ça tombe bien, a continué mamie, parce que j'ai la meilleure recette de cupcakes du monde. Je vais appeler M. Costello pour qu'il aille la chercher dans ma cuisine et qu'il me la lise. Je te promets que tu n'en as jamais mangé d'aussi bons.

J'ai commencé à m'essuyer les yeux avec les mains, et mamie m'a tendu un mouchoir.

– Tu m'aideras à les faire ? m'a-t-elle demandé.

J'ai encore hoché la tête.

– Parfait, a-t-elle dit. On rentre à la maison, on te sèche les pieds et on envoie ta mère ou ton père à l'épicerie !

Le Retour À La Maison

Je n'aurais pas été géniale comme cambrioleuse. À chaque pas, je faisais un drôle de bruit d'éponge. Ça, ça ne me gênait pas, mais la sensation n'était pas très agréable. C'était froid et tout mou, et on aurait dit que mes pieds étaient de gros poissons mouillés.

M. Canaille a été très sage pendant tout le chemin du retour. Je me suis même demandé si elle se sentait coupable. Mamie portait le panier à pique-nique tout boueux et elle n'a même pas râlé quand il a touché son pantalon et que ça a fait une grosse tache dessus. Elle pensait plus à moi qu'à ses habits. Une chance pour moi.

En marchant, j'ai parlé à mamie de la kermesse.

– J'aimerais bien pouvoir t'aider, m'a-t-elle dit.

J'ai répondu que j'aurais bien aimé aussi, mais que c'était impossible.

– Oui, a admis mamie, je ne vois pas comment je pourrais me débrouiller en étant en France.

J'ai hoché tristement la tête. Elle avait raison.

Ce qui s'est passé quand on est arrivées à la maison

Pendant que je me changeais dans ma chambre, mamie a appelé M. Costello et elle a préparé toute une liste de choses à acheter pour la donner à maman. J'ai bien vu que maman n'avait pas très envie d'aller à l'épicerie, mais comme mamie est sa mère, elle était un peu obligée.

Ce que maman nous a rapporté

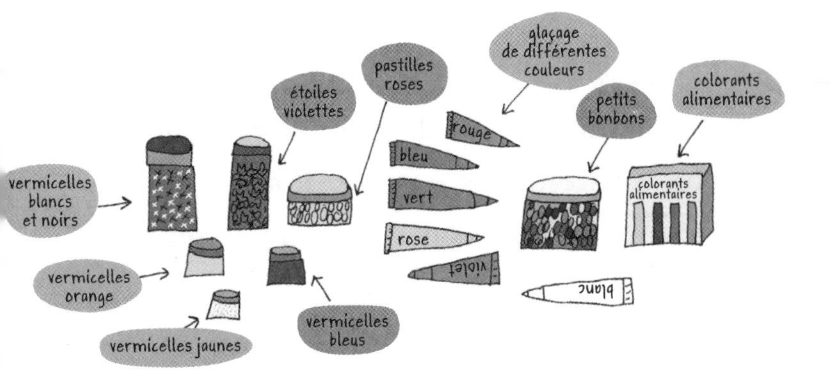

Un bon moyen de se donner super envie de préparer des cupcakes, c'est d'acheter plein de trucs chouettes pour les décorer. On a suivi la recette de mamie. Mon moment préféré, c'est quand on casse les œufs, et je lui ai montré que j'y arrivais presque d'une seule main. C'était sympa de mélanger la pâte, mais j'avais hâte d'arriver à la décoration. J'étais pressée de me servir de toutes les choses que maman avait achetées.

Un Truc Dur À Faire

C'est dur d'attendre que les cupcakes soient cuits et qu'ils aient refroidi quand on a hâte de les décorer. Pour patienter, mamie et moi, on a préparé le glaçage.

C'était délicieux. Si mamie ne m'avait pas regardée, j'en aurais mangé une énorme cuillère à soupe. Au lieu de ça, j'ai juste léché les fouets du mixeur.

Ce Qui Est Chouette Avec Mamie

Mamie m'a laissée choisir trois colorants pour le glaçage. J'ai pris le violet, le bleu et le rose pâle. Vu que, d'habitude, maman ne me permet de choisir qu'une seule couleur, j'étais contente que ce soit mamie le chef. Parfois, on s'amuse plus avec les grands-parents. Ça doit être parce qu'ils ne nous voient pas tous les jours. Si je n'étais pas là tous les jours, maman aussi serait sûrement plus rigolote.

Les cupcakes sans glaçage

Les cupcakes avec du glaçage

La Partie Marrante

Décorer les cupcakes, c'était aussi marrant

que je pensais. Mamie est assez forte, mais elle a dit que j'étais meilleure qu'elle. Quand on a eu fini, j'ai pris des photos de tous mes cupcakes pour ne pas les oublier. Ils étaient presque trop beaux pour être mangés (mais comme je savais que j'allais les manger, les photos, c'était une bonne idée). Maman a dit que j'avais droit à un seul cupcake, ou je n'aurais plus faim pour le dîner. Mais pendant qu'elle ne regardait pas, mamie m'a chuchoté avec un clin d'œil :

– Tu peux en prendre deux.

C'était dur de choisir quels cupcakes manger en premier. J'ai décidé de garder les plus beaux pour la fin et j'en ai pris deux qui n'étaient pas dans mes préférés. Dès la première bouchée, j'ai su que mamie avait raison. Je n'avais jamais mangé d'aussi bons cupcakes. Une chance que j'ai eu le droit d'en prendre deux. Ça aurait été presque impossible d'en manger un seul.

– Mamie, ce sont les meilleurs cupcakes du monde entier ! ai-je déclaré.

Elle m'a souri.

– Je te l'avais bien dit !

J'étais trop occupée à manger pour continuer à parler, mais mon cerveau, lui, n'était pas trop occupé pour penser, et ce qu'il a pensé m'a étonnée.

Mamie dit que, quelquefois, si on a de la chance, une mauvaise chose peut se transformer en une bonne chose. Soudain, j'ai pensé que j'avais de la chance, parce que c'était justement une de ces fois-là.

Sur Quoi Maman Avait Eu Raison

Je n'avais pas faim pour le dîner et j'ai eu du mal à manger ce qu'elle m'avait servi. Pourtant, le menu, c'était du saumon et des pommes de terre, et j'aime bien les deux. Je me suis forcée à finir, parce que je savais que sinon maman dirait : « Pas de cupcakes pour le dessert ! » Et je voulais absolument en manger encore un. Maman n'est pas tellement une personne à cupcakes, mais quand elle a goûté ceux de mamie, elle a fermé les yeux et elle a fait :

– MMMMM !

Papa les a bien aimés aussi, mais c'est normal parce qu'il adore tout ce qui est sucré.

Comme mamie aime bien jouer aux cartes, avant d'aller nous coucher, on a joué au Uno. Et j'étais très fière de moi parce que je ne me suis pas du tout énervée, alors que j'ai perdu trois parties de suite.

Après, dans ma chambre, j'ai regardé la fenêtre de Mimi pour voir si elle était toujours debout, mais les rideaux étaient fermés. J'aurais bien aimé qu'on s'envoie des signaux avec la lumière de nos chambres, mais il était trop tard. Quand on a l'habitude de faire une chose, on peut être un peu triste si on ne peut pas la faire. Alors, même si Mimi n'était pas là, j'ai fait clignoter ma lumière trois fois pour elle. Et je me suis sentie mieux.

Dimanche

Dimanche, c'était le jour du brunch au château. Même si ça n'était pas un vrai château français comme ceux que mamie allait visiter, c'était toujours un château et j'étais super excitée. Maman m'a dit de m'habiller chic, alors j'ai mis ma plus belle robe, celle que je portais au mariage d'Augustine Dupré.

Le Château

Le restaurant était un peu loin, mais ça valait la peine, parce que dès qu'on l'a vu, on s'est tous écriés « Oooh ! » et « Ahhh ! » On aurait dit un vrai château, surtout à l'extérieur. À l'intérieur, c'était plus un restaurant normal. Maman a dit qu'elle préférait ça, parce qu'elle trouve que les meubles modernes sont plus confortables.

Quand il y a du pain perdu au menu, je suis presque obligée de le choisir. C'est comme ça quand on a des trucs préférés : on ne peut pas faire comme s'ils n'étaient pas là. Et c'était un bon choix, parce qu'il était délicieux. J'ai eu peur que maman me demande s'il était meilleur que le sien, parce qu'il l'était et que je ne suis pas très forte pour mentir.

Le mensonge que je n'ai pas eu besoin de dire

Après le brunch, il n'y avait plus grand-chose à faire, alors on est rentrés à la maison. Maman avait espéré qu'il y aurait des jardins pour se promener, mais il n'y en avait pas. Il n'y avait qu'elle et mamie qui étaient déçues. Papa et moi, on trouve que regarder des plantes, ça n'a aucun intérêt.

Dès qu'on est arrivés à la maison, je suis allée me changer. Une belle robe, ça n'est pas une tenue très pratique pour jouer à la balle avec un chien. Mamie est allée se changer aussi, et elle m'a appelée pour que je la rejoigne dans sa chambre.

– Tu les avais bien cachés, m'a-t-elle dit en me montrant un petit tas de mots que je lui avais écrits. Est-ce que je les ai tous trouvés ?

J'ai regardé partout pour voir s'il en restait. Il n'y en avait plus qu'un, qui était sous le lit.

– Oh, je suis trop vieille pour aller ramper sous les lits, a-t-elle dit.

– D'accord. La prochaine fois, je les mettrai plus haut, lui ai-je promis.

À ce moment-là, je me suis souvenue que mamie allait bientôt partir et que je ne voulais pas.

– Tu n'as même pas vu Mimi ! me suis-je exclamée.

– Est-ce qu'elle est chez elle ? m'a demandé mamie. Elle pourrait venir maintenant.

– Mamie, tu es la meilleure !

Je lui ai fait un gros câlin et j'ai couru chercher Mimi.

Je mourais d'envie de la voir depuis le matin. J'avais trop hâte qu'elle goûte un de nos cupcakes. J'ai dévalé les escaliers, franchi la porte d'entrée et traversé le jardin en courant sans m'arrêter jusque chez elle. Comme j'étais trop pressée pour frapper avec mon coup spécial, j'ai juste sonné. Au bout de quelques secondes, le père de Mimi m'a ouvert. C'était mauvais signe. Il vient seulement ouvrir quand Mimi et sa mère ne sont pas là.

– Désolé, Zoé, m'a-t-il dit. Mimi est sortie avec sa mère et Alex pour la journée.

– Toute la journée ? ai-je demandé. Vous êtes sûr ?

Il a hoché la tête, et on est restés là comme ça. Finalement, j'ai dit :

– Bon. D'accord, alors.

Je me suis retournée et je suis rentrée chez moi. Ça n'était pas du tout ce que je voulais.

Comme je ne voulais pas que mamie voie

que j'étais triste, en rentrant à la maison, j'ai fait comme si ça n'était pas grave que Mimi ne soit pas là. Le reste de la journée a passé super vite. Mamie m'a montré une carte de la France, et on a trouvé Paris et deux des châteaux qu'elle allait visiter. Même si on avait mangé dans un restaurant qui ressemblait à un château, les vrais châteaux devaient sûrement être plus intéressants. Mamie avait de la chance! Ça n'arrive pas très souvent, mais quelquefois, on peut être jaloux d'une grand-mère.

J'ai dit à mamie que c'était dommage qu'on ne puisse pas demander des conseils à Augustine Dupré à propos de la France.

– Elle est en France pour un mois entier, lui ai-je expliqué. Peut-être que tu la verras là-bas.

– Ce serait fantastique ! m'a répondu mamie en riant.

Et je n'ai pas pu m'en empêcher, je me suis sentie encore plus jalouse de ne pas pouvoir y aller.

Dire Au Revoir

Cette fois, quand maman est allée à l'aéroport, je l'ai accompagnée. Ça lui a fait plaisir – elle a dit qu'elle serait moins triste.

Je n'ai pas répondu, mais je n'étais pas sûre qu'avoir une autre personne triste dans la voiture, ce soit mieux que d'être triste tout seul. L'avion de mamie avait du retard et on a attendu avec elle. Pendant que maman était partie aux toilettes, mamie m'a dit :

– M. Canaille est merveilleuse. Ça me rend un peu jalouse de vous voir toutes les deux. Ça me rappelle mon Barnaby.

Barnaby était le vieux chien de mamie. Il est mort il y a deux ans. C'est triste qu'il lui manque encore, mais c'était un beau compliment pour M. Canaille. Je comprenais que ça déprime maman d'aller à l'aéroport. Si on n'y va pas pour partir quelque part ou pour aller chercher quelqu'un, ça n'est pas un endroit très rigolo. Ça n'est pas rigolo de dire au revoir.

Ce qui s'est passé après

Rien. Maman et moi, on est rentrées à la maison, et j'ai juste traîné avec M. Canaille tout le reste de la journée. Le seul truc sympa qu'on a fait, c'est une promenade dans le quartier, et même ça, ça n'était pas génial. On n'a pas vu un seul écureuil, alors que c'est ce qu'elle préfère dans les promenades.

Ce que j'ai mangé au petit déjeuner pendant que Maman ne regardait pas

Les cupcakes ont des pouvoirs spéciaux. Quand j'ai commencé à en manger un, j'étais encore triste d'hier. Mais le temps que j'avale la dernière bouchée, je me sentais cent pour cent mieux. J'en aurais bien englouti un deuxième, mais maman est entrée dans la cuisine, et j'ai pris une banane.

Pourquoi j'étais super excitée d'aller à l'école

1. Pour pouvoir raconter à Mimi tout ce qui s'était passé avec mamie.

2. Pour savoir où elle était allée la veille.

3. Pour lui donner un cupcake.
4. Parce que Mlle Loïs allait parler de la kermesse du printemps.

Maman a vu que je mettais un cupcake dans mon cartable et elle a secoué la tête.

– Tu en a déjà mangé un ce matin, a-t-elle signalé.

Je l'ai regardée comme si je ne comprenais pas de quoi elle parlait, mais en vrai, j'étais sous le choc. Comment pouvait-elle savoir ça ? Parfois, ma maman a des superpouvoirs pour deviner ce que j'ai mangé. C'est bête qu'elle n'en ait pas pour d'autres trucs plus utiles.

Une maman qui se sert de ses superpouvoirs

– Il n'est pas pour moi, il est pour Mimi, ai-je protesté. Je ne peux pas lui en apporter un pour le déjeuner ?

Maman m'a regardée en plissant les yeux, comme si elle essayait de savoir si je disais la vérité. Finalement, elle m'a répondu en hochant la tête :

– D'accord, mais un seul.

La surprise de Mimi

Deux minutes plus tard, Mimi a frappé à la porte. Elle était super en avance, mais j'étais quand même contente de la voir. Comme il était trop tôt pour partir, elle a laissé son cartable à la porte et elle est entrée. Elle tenait un sac en papier. Elle l'a secoué devant moi en disant :

– Regarde, j'ai apporté ça pour toi.

– Est-ce que je dois essayer de deviner ce que c'est ? ai-je demandé.

– Tu n'y arriveras jamais. C'est impossible.

Elle m'a tendu le sac, et j'ai regardé à l'intérieur. Dedans, il y avait une espèce de balle.

– C'est une boule à devinette *Héros d'un jour,* m'a expliqué Mimi. Avec le vrai logo de *Héros d'un jour* imprimé dessus.

J'ai sorti la boule du sac. Elle avait raison. Je n'en revenais pas. *Héros d'un jour* était notre émission préférée de la terre entière, et là, pile sur la boule, il y avait son logo. C'était un vrai cadeau-souvenir de *Héros d'un jour* ! J'avais la bouche grande ouverte tellement j'étais étonnée.

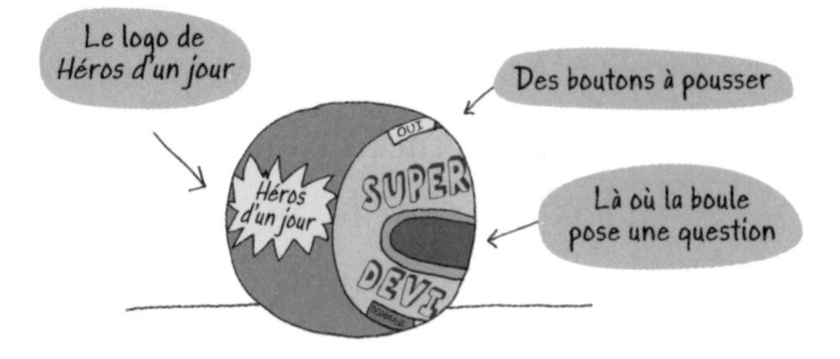

Héros d'un jour, c'est une émission sur des gens ou des animaux normaux qui se servent d'un superpouvoir ou d'un talent qu'ils ne connaissaient pas pour sauver des gens ou les empêcher de se faire mal. C'est dur à croire que des trucs aussi fantastiques puissent exister, et pourtant, dans cette émission, tout est cent pour cent vrai !

J'ai souri à Mimi. Cette boule était le meilleur cadeau du monde entier.

– Où tu l'as trouvée ? lui ai-je demandé.

– Tu ne vas jamais le croire. Ma mère a une amie qui s'appelle Maureen. La fille de Maureen a travaillé pendant six semaines pour l'émission l'été dernier, et elle a eu des tas de trucs de *Héros d'un jour* gratuits. Hier, on est allés voir Maureen, et elle nous a laissés en choisir. Alex a pris un ballon avec *Héros d'un jour* écrit dessus, mais ça, c'est vachement mieux.

– Tu n'as rien pris d'autre ? lui ai-je demandé.

Tout à coup, ça m'embêtait de prendre le cadeau de Mimi.

– Ne t'inquiète pas, m'a-t-elle rassurée. Je lui ai expliqué que ma meilleure amie aussi adorait l'émission, et elle m'a autorisée à en prendre deux. Je me suis servie de ma boule hier soir, et elle marche super bien.

Le seul ennui avec son cadeau, c'est que je ne pouvais pas l'emporter à l'école. Mlle Loïs a une règle qui interdit les jouets à l'école. J'ai juste pu l'essayer une fois avant de partir, mais Mimi avait raison : ça marchait pour de vrai !

C'était dur d'arrêter de jouer avec la boule pour aller à l'école, mais maman m'a aidée en me criant dessus parce que j'allais être en retard. Une maman qui crie, ça peut vraiment nous pousser à bouger.

Les Bonnes Choses Qui Sont Arrivées À L'école Le Matin

On a passé une grande partie de la matinée à parler de la kermesse.

Presque tout de suite après qu'on est entrés dans la classe, Paul 1 a dû aller s'asseoir sur la chaise de ceux qui n'écoutent pas. C'était chouette de ne pas l'avoir assis derrière moi, parce qu'un de ses jeux préférés, c'est de me donner de petits coups dans le dos avec son stylo toutes les deux minutes.

À midi, j'ai donné à Mimi le cupcake que j'avais apporté. Elle a dit que c'était le meilleur de tous ceux que sa bouche avait goûtés.

– Tu en as apporté d'autres ? m'a-t-elle demandé.

J'ai fait non avec la tête. Je savais exactement ce qu'elle pensait. C'était dur de n'en manger qu'un seul.

La bouche de Mimi qui réclame d'autres cupcakes

Après le repas

Mlle Loïs a expliqué qu'on devait commencer par choisir notre thème pour la kermesse. Elle a dit :

– Comme je tiens à ce qu'on trouve

quelque chose de nouveau, je vais vous donner la liste de tout ce qui a DÉJÀ été fait et que vous ne POUVEZ PAS choisir.

Et elle a écrit au tableau toutes les idées que ses classes d'avant avaient déjà eues.

Les cinq idées qu'on ne peut pas choisir parce qu'elles ont déjà été prises

Les oiseaux
Les saisons
Les animaux familiers
La plage
La maison hantée

Ce qui s'est passé après

Mlle Loïs a dit qu'elle était prête à écouter nos suggestions, et aussitôt, tout le monde a levé la main. Il y avait des tas d'idées et Mlle Loïs les a toutes notées au tableau.

Il y avait de bonnes idées, de mauvaises idées, et des idées pas très étonnantes. Personne n'a été étonné quand Martha a proposé : « les fées. » Elle adore les fées et elle joue à des jeux de fées à toutes les récrés avec ses amies. Ce qui nous aurait étonnés, c'est qu'elle dise autre chose.

Au fur et à mesure que la liste d'idées s'allongeait, de moins en moins d'élèves levaient la main. Mon regard a croisé celui de Mimi. On n'avait pas encore donné nos idées. Elle a levé la main, et quand Mlle Loïs l'a désignée, Mimi a dit : « les bonbons. » Aussitôt, toute la classe s'est mise à parler. C'est parce que tout le monde adore les bonbons. J'ai bien vu que c'était l'idée qui allait gagner. Mimi avait un grand sourire, elle était super contente. Aucune autre idée n'avait eu cet effet-là sur la classe.

Tout à coup, j'ai eu une autre idée, mieux que celle des superpouvoirs. Un truc que les gens adoraient peut-être encore plus que les bonbons. Sans réfléchir, j'ai levé la main et j'ai crié.

Là, tout le monde a eu l'air très excité, sauf une personne : Mlle Loïs. Elle m'a montrée du doigt et elle a dit :

– Zoé Tout Court, tu sais qu'on n'a pas le droit de crier.

J'ai baissé la tête. Elle avait raison. Je me suis tournée vers Mimi pour qu'elle me sourie et que je me sente mieux, mais elle ne souriait pas. Elle me regardait d'un air très fâché. Et là, j'ai su qu'il venait de se passer une chose terrible.

La Chose Terrible

Je venais de faire exactement ce que j'avais promis à Mimi de ne pas faire. Et maintenant, ma nouvelle idée se battait contre celle de Mimi. Et elle devait croire que je l'avais fait exprès. Alors que, en vrai, c'était un accident. J'ai relevé la tête. Mlle Loïs était en train d'écrire « Cupcakes » au tableau, pile sous le mot « Bonbons ».

Ce que j'espérais

Que quelqu'un allait donner à Mlle Loïs

une idée encore meilleure que les cupcakes et les bonbons. Si ça arrivait et que la classe choisissait cette idée-là, peut-être que Mimi ne serait plus en colère contre moi. J'ai regardé autour de moi, mais il n'y avait qu'une seule main levée. C'était celle de Ruth. Mlle Loïs l'a désignée, et j'ai retenu ma respiration. J'ai fermé les yeux très fort et j'ai fait un vœu.

– « Les cornichons » ! a lancé Ruth.

Tout à coup, je me suis sentie mal. Les cornichons, ça ne pouvait pas battre les cupcakes. Même si Mlle Loïs a noté l'idée, elle devait être d'accord avec moi, parce qu'elle a demandé :

– Bien, maintenant, on propose autre chose que des aliments, s'il vous plaît !

Mais plus personne n'a levé la main. Je n'arrivais plus à regarder Mimi. J'avais trop honte. Pourquoi je n'avais pas proposé les superpouvoirs comme on avait prévu ? Je ne savais pas du tout pourquoi ma bouche avait dit ça. Mais je savais ce que pensait Mimi. Elle devait se dire que j'étais contente. Alors que, en vrai, j'étais triste et désolée.

Quand on est très embêté

Ce n'est pas drôle quand on sait qu'un truc moche va arriver et qu'on doit rester là à attendre que le truc se passe devant nous.

Avant qu'on commence à voter, Mlle Loïs nous a indiqué les règles :

– Il n'y a qu'un vote par personne. Si une idée vous plaît, levez la main. Je ferai le compte et je noterai le nombre de voix en face de chaque idée.

Et ensuite, comme beaucoup d'élèves n'écoutaient pas, elle a rappelé :

– Vous ne pouvez lever la main qu'une seule fois. Un seul vote par personne.

Elle nous a regardés pour vérifier que tout le monde avait l'air d'avoir compris, et elle a dit :

– Bien, c'est parti.

Certaines idées ont eu zéro voix. Quand Mlle Loïs a dit « les singes », personne n'a levé la main. Mais quand elle a dit « les bonbons », plein de mains se sont levées.

J'ai levé la mienne aussi, en croisant les doigts. L'idée de Mimi avait peut-être une chance de gagner. Mlle Loïs a compté le nombre de voix pour les bonbons et l'a écrit au tableau.

Juste après, c'était le tour des cupcakes. Quand les autres ont levé la main, j'ai fixé le sol. Je ne voulais pas savoir combien il y avait de voix. J'ai entendu Mlle Loïs écrire le nombre au tableau, et la classe a applaudi. Je n'ai pas eu besoin de relever la tête pour savoir ce qui se passait. Les cupcakes avaient gagné.

Est-ce qu'on peut être triste de gagner ?

OUI ! Et une gagnante peut même souhaiter de tout son cœur être perdante. Si j'avais été chez moi, j'aurais filé dans ma chambre et pris une pièce porte-bonheur pour faire ce vœu-là.

Ce que Mlle Loïs a fait après

Mlle Loïs a tout effacé et écrit au milieu du tableau le mot « CUPCAKES » en grosses lettres rouges. Je n'aurais pas cru ça possible, mais c'était de pire en pire à chaque seconde. Si j'avais demandé à l'univers : « Est-ce que ça va s'arranger ? », il m'aurait répondu : « Je suis désolé, mais la réponse est NON ! »

– Maintenant, a annoncé Mlle Loïs, nous allons former des groupes.

Toute la classe a grogné. Personne n'aime être *mis* dans un groupe.

– On ne peut pas choisir notre groupe ? a demandé Paul 2.

Mlle Loïs a eu l'air étonnée, parce que Paul 2 ne pose presque jamais de questions. Elle a réfléchi une minute et elle a dit d'accord, même si c'était un « d'accord » avec un « mais » attaché derrière.

Ce qu'était le « Mais »

Mlle Loïs nous a expliqué :

– On va tirer au sort les responsables, et chacun choisira les membres de son groupe.

Elle a mis dans un pot des bouts de papier avec les noms de tous les élèves et elle en a tiré six :

– Paul 1, Zoé F., Mimi, Paul 2, Martha et Abigail, vous êtes les responsables de groupe. Venez au tableau, s'il vous plaît.

Quand ils ont été debout tous les six, Mlle Loïs a ajouté :

– On va procéder dans l'ordre. Chacun d'entre vous va désigner une personne à tour de rôle jusqu'à ce que tout le monde soit dans une équipe. Paul 1, tu peux commencer.

Paul 1 a pris Alex Walters, Zoé F. a choisi Zoélie, mais la surprise est venue de Mimi, qui a appelé Sunni. Personne n'a rien dit, mais je voyais qu'ils étaient tous sous le choc et qu'ils pensaient : « Pourquoi elle n'a pas choisi Zoé Tout Court ? » J'étais la seule qui connaissait la réponse.

Sunni n'est pas une personne que j'aime beaucoup, et j'étais presque sûre que Mimi l'avait prise exprès pour me punir ! J'avais chaud, et je savais que j'étais toute rouge ! Alors j'ai baissé les yeux sur ma table pour que ça ne se voie pas trop. Peut-être que je me trompais, mais j'avais l'impression que tout le monde m'observait. Au tour suivant, Mimi a choisi Sammy. Zoé F. m'a regardée avec de grands yeux et j'ai compris qu'elle me demandait si je voulais qu'elle m'appelle.

J'ai hoché la tête et je me suis affalée sur ma chaise. Au moins, ce serait assez sympa d'être dans le groupe de Zoé F.

Mais ça ne s'est pas passé comme ça, parce que c'était le tour de Paul 1 et que c'est lui qui m'a choisie !

L'horrible surprise

Je n'arrivais pas à y croire. De tous les groupes, le sien était celui où je ne voulais absolument PAS aller. Même me retrouver dans celui de Mimi alors qu'elle était fâchée, ça aurait été mieux. Un groupe dans lequel il y a Paul 1 et Alex Walters, c'est forcément une catastrophe !

Zoé F. m'a regardée en haussant les épaules. Je me suis levée. J'ai dû forcer mes pieds à avancer jusqu'à Paul 1. Ensuite, Mimi a pris Max. C'est le meilleur ami de Sammy et ils ont déjà travaillé en équipe avec Mimi, alors c'était normal.

La dernière personne qui a rejoint notre groupe, c'est Ruth, une fille qui est amie avec Paul 1 et Alex Walters et qui est un peu comme eux. Du coup, ça ne s'arrangeait pas du tout pour moi. J'avais un nouveau gros pressentiment sur la kermesse : ÇA ALLAIT ÊTRE UN CAUCHEMAR !

Notre Projet De classe

Quand tout le monde s'est retrouvé dans un groupe, Mlle Loïs a expliqué ce qui allait se passer. Chaque équipe avait trois choses à faire :

1. Inventer un jeu qui ait un rapport avec les cupcakes.

2. Animer le jeu le jour de la kermesse de onze heures à midi et demie. Après, nos jeux s'arrêteraient et on pourrait participer aux autres trucs.

3. Défendre notre équipe dans le Défi des cupcakes.

C'est quoi, le Défi des cupcakes ?

Il y a toujours un défi dans la classe de Mlle Loïs. Tous les CE2 de l'école peuvent s'inscrire dans une équipe pour participer s'ils en ont envie, mais ceux de notre classe sont obligés. L'année dernière, c'était le Défi des oiseaux, et celle d'avant, le Défi des animaux familiers. C'est Mlle Loïs qui invente les épreuves avec M. Clausen, le professeur de sport, et c'est toujours une sorte de course d'obstacles ou de relais marrante. L'an dernier, les vainqueurs ont eu leur photo affichée dans le préau pendant une semaine, et ils ont même gagné des tee-shirts spéciaux.

Il y a peut-être des gens qui croiraient que gagner le défi, ça n'est pas très important, mais c'est faux. C'est l'un des trucs les plus énormes qui puissent arriver quand on est en CE2. Tous les élèves de ma classe veulent gagner !

Ce que notre groupe n'avait aucune chance de faire

Gagner le Défi des cupcakes.

Ce que Paul 1 m'a dit

Quand Mlle Loïs a eu fini de tout expliquer, elle nous a demandé de nous rassembler par groupes. Le nôtre est allé à la table de Paul 1, ce qui était le seul truc chouette qui s'est passé de tout l'après-midi. C'était chouette parce que Paul 1 est assis juste derrière moi et que, du coup, j'ai pu m'asseoir sur ma chaise. Ça n'était pas un truc génialement chouette, mais quand il n'arrive que des trucs moches, on remarque les trucs chouettes même s'ils sont tout petits.

Dès qu'on a tous été assis, Paul 1 m'a regardée et il m'a dit :

– Je t'ai choisie parce que tu es forte en dessin et que tu aimes bien les superhéros. Comme ça, tu peux dessiner un super Spider-Man pour notre jeu.

– Trop cool ! s'est écrié Alex.

Il a tapé dans la main de Paul puis dans celle de Ruth, et il a voulu taper aussi dans la mienne, mais j'ai fait comme si je ne le voyais pas. Je réfléchissais à l'idée de Paul 1 et j'étais de plus en plus déprimée. Spider-Man, c'était une idée complètement nulle, et je n'allais pas me gêner pour le lui dire.

Mais Paul 1 ne m'écoutait pas, parce qu'il a continué :

– Ça va être génial. Je te montrerai des photos, tu pourras copier.

Je lui ai tourné le dos. J'avais envie de pleurer. Le meilleur moment de toute l'année était enfin arrivé et il était complètement gâché. Ça aurait dû être sympa, et excitant, et fantastique, et ça n'allait rien être de tout ça. Ça allait juste être horrible.

Comment Mlle Loïs M'a Sauvée

Mlle Loïs se promenait dans la classe en écoutant les groupes parler de ce qu'ils voulaient faire. Au bout de deux minutes avec notre groupe, elle a rappelé :

– N'oubliez pas que votre jeu doit avoir un rapport avec les cupcakes.

Paul 1 a frappé du poing sur la table.

– Ça va tout gâcher ! a-t-il râlé.

J'ai souri. C'était mon premier sourire de l'après-midi.

J'ai regardé du côté de Mimi, et elle l'a vu. Alors je me suis dépêchée de me retourner et, deux minutes plus tard, je l'ai entendue qui riait super fort. Comme je connais Mimi, j'ai tout de suite su que c'était un faux rire, un rire pour me faire de la peine. Et ça a cent pour cent marché.

Ce que je savais

Que j'allais rentrer chez moi toute seule. Dès que la cloche a sonné, j'ai rangé mes affaires à toute vitesse et je suis sortie en courant. Je ne voulais pas me retrouver sur le trottoir derrière Max, Sammy et Mimi. J'ai couru jusqu'au bout de la cour avant de me remettre à marcher. J'étais toute seule dans la rue. Être tout seul sans personne autour, c'est toujours mieux que d'être tout seul au milieu d'autres gens, surtout si tous ces autres gens sont ensemble.

Quand je suis arrivée à la maison, M. Canaille m'a sauté dessus comme d'habitude. C'était pile ce qu'il me fallait. M. Canaille pourrait être un chien qui rend visite aux personnes malades, parce que rien qu'être avec elle, ça aide à se sentir mieux.

Ma nouvelle idée

Après avoir joué avec M. Canaille, j'ai décidé d'écrire une lettre à Mimi pour m'excuser, et pas juste une lettre d'excuses normale, mais une lettre d'excuses géniale. Ce genre de lettre, ça prend du temps. Si quelqu'un m'en écrivait une, je saurais tout de suite que la personne est vraiment super désolée, parce qu'il faut l'être pour passer autant de temps sur une lettre, et ça montre qu'on devrait sans doute lui pardonner.

Chère Mimi,

Je suis Super Désolée d'avoir brisé notre serment du petit doigt !!

C'était un accident et je regrette beaucoup que ce soit arrivé.

Veux-tu me pardonner ?

Est-ce qu'on peut redevenir amies ?

Tu me manques !

Zoé

Et ça prend un temps fou si on utilise plein de couleurs différentes.

Après avoir fini la lettre, je l'ai mise dans une boîte avec mes deux cupcakes préférés et je l'ai portée chez Mimi. J'étais trop stressée pour la voir, alors j'ai déposé la boîte devant la porte, j'ai sonné et je suis repartie en courant à toute allure. J'étais sûre que, quand elle aurait lu ma lettre, elle me pardonnerait. Soit elle viendrait chez moi, soit elle m'appellerait. Du coup, j'ai attendu en bas pour être près de la porte et du téléphone. Comme je n'avais rien d'autre à faire, j'ai sorti mes crayons et mes feuilles, et j'ai fait une bande dessinée. Ça m'aide souvent à me sentir mieux, mais cette fois, ça n'a pas marché. Ça m'a rendue encore plus impatiente que Mimi appelle.

Ce qui pouvait arriver après

Au bout d'environ une heure, j'ai demandé à maman de m'appeler si le téléphone sonnait et je suis montée dans ma chambre. Au bout d'environ deux heures, j'ai eu peur qu'on ne m'ait pas entendue sonner chez Mimi. Peut-être que la lettre et les cupcakes étaient toujours devant la porte. J'ai emmené M. Canaille en promenade dans le quartier pour vérifier, mais quand on est passées devant chez Mimi, il n'y avait plus rien. La boîte avait disparu.

Au bout d'environ trois heures, j'avais de nouvelles pensées. Comme ça n'était pas de bonnes pensées, j'ai décidé de ne plus y penser et je suis allée au salon regarder la télé avec papa et maman. Au bout d'environ quatre heures, les pensées sont revenues. Quelquefois, on met longtemps à croire quelque chose, surtout les trucs qu'on ne veut pas croire. Je ne voulais pas croire ce que mon cerveau me disait, mais au bout de quatre heures, je ne pouvais plus trop faire autrement.

Les Sentiments

Au début, j'étais super triste. Mais heureusement, M. Canaille est un bon oreiller quand on a les yeux remplis de larmes. Elle avait senti que quelque chose n'allait pas, et même si elle ne pouvait pas tout arranger, ça m'a fait du bien de l'avoir avec moi. Ça doit être pour ça que maman voulait que je sois dans la voiture avec elle après avoir déposé mamie à l'aéroport. Au bout d'un moment, j'ai arrêté de pleurer. Ça tombait bien, parce que j'en avais assez de me moucher toutes les cinq secondes.

M. Canaille me regardait comme si elle se demandait ce que j'avais, et j'ai commencé à lui expliquer tout ce qui s'était passé. Elle aime bien quand je lui parle, et elle sait bien écouter, tant qu'on ne lui dit pas un des mots qui la font sauter partout comme une folle. Pendant que je racontais l'histoire, il s'est produit un truc bizarre :

le triste s'est changé en fâché. Et pas un peu fâché, mais carrément très fâché.

Pourquoi J'étais Fâchée

1. J'avais écrit une lettre spéciale à Mimi et elle ne m'avait même pas répondu.

2. Quand j'avais dit « cupcakes », c'était par accident. C'était arrivé d'un coup dans ma tête. Si quelqu'un dit quelque chose par accident, on doit lui pardonner. Parce qu'un accident, ça n'est pas pareil que de le faire exprès.

3. Elle avait pris les cupcakes que je lui ai donnés et elle les avait sûrement mangés. Si on ne veut pas pardonner à quelqu'un, on ne mange pas ses cupcakes. On doit les lui rendre.

Mais j'étais surtout fâchée à cause de ça :

Ce qui n'est pas bon

Ça n'est pas agréable d'aller se coucher en étant fâché, mais on ne peut pas toujours faire autrement. Juste avant, j'ai jeté la boule à devinettes de *Héros d'un jour* dans mon placard. Je me fichais qu'elle soit super cool. Elle venait de Mimi, et je n'en voulais plus.

Le lendemain matin

J'ai demandé à maman de me préparer du pain perdu pour mon petit déjeuner. C'était sûr que, ce jour-là, j'allais avoir besoin d'énergie en plus. Inventer un jeu avec Paul 1, Alex Walters et Ruth, ça n'allait pas être facile. Mais maman m'a répondu :

– Je n'ai pas le temps de préparer du pain perdu. Tiens, je t'ai acheté des barres aux céréales au goût « pain perdu ». Je parie qu'elles sont tout aussi bonnes.

Ce qui n'était pas Délicieux

La barre aux céréales au goût pain perdu. Dès qu'un truc fait semblant d'avoir le goût d'un autre truc, ça n'est pas une très bonne idée de le manger.

Je suis partie à l'école cinq minutes en avance. Je ne voulais pas ouvrir la porte et voir Mimi marcher sur le trottoir devant moi. Sur le chemin, j'étais de plus en plus en colère à chaque pas.

Ce Qui Est Dur À Faire

Ne pas montrer aux autres qu'on ne parle plus à sa meilleure amie. Évidemment, tout le monde l'a vu. Il y en a qui m'ont posé des questions, mais je ne voulais pas en parler.

Ce Qui M'a Étonnée

Paul 1 était toujours triste que son idée de Spider-Man ne marche pas.

– Spider-Man, c'est mon héros préféré, a-t-il ronchonné. Le reste, c'est nul.

Il a posé la tête entre ses bras sur sa table et il n'a plus parlé. Je n'avais pas du tout envie d'avoir de la peine pour lui, mais mes sentiments d'empathie se sont réveillés tout seuls. J'ai un mini-superpouvoir : dès qu'une personne est triste ou malheureuse, je ne peux pas m'empêcher de vouloir l'aider. D'habitude, c'est plutôt bien. Mais comme Paul 1 n'est vraiment pas une de mes personnes préférées, ça compliquait les choses.

Mes sentiments du dehors
n'aiment pas Paul 1,
mais mes sentiments du dedans
veulent l'aider

– Peut-être qu'on peut quand même inventer un jeu de Spider-Man, ai-je proposé.

Paul 1 n'a pas bougé.

– Ça pourrait être un jeu où il faut être fort ? m'a demandé Alex Walters.

– Bien sûr, ai-je dit.

J'ai pris une feuille et écrit dessus : « force ». Ça n'était pas grand-chose, mais c'était un début.

– Mais comment on peut faire ça avec des cupcakes ? a demandé Ruth.

Comme je ne savais pas, j'ai répondu :

– On n'a qu'à inventer le jeu d'abord et s'occuper des cupcakes après.

– Ça peut être un jeu de lancer ? a demandé Paul 1.

Tout à coup, ça l'intéressait. J'ai écrit le mot « lancer » à côté de « force ».

– Et après ? a encore demandé Ruth.

J'ai relevé la tête. Ils me regardaient tous les trois. Je ne sais pas comment c'était arrivé, mais j'ai vu que quelque chose avait changé : d'un seul coup, j'étais devenue la chef d'équipe.

Le Jeu De La Kermesse

Ça a été dur d'inventer un jeu. Surtout avec mon groupe. J'ai passé plein de temps à répéter : « Non, ça, on ne peut pas le faire. »

Les choses auxquelles j'ai dû dire non

Lancer des trucs super lourds
Lancer de vraies fléchettes
Lancer de gros trucs
Lancer des bâtons
Lancer des cailloux
Lancer des trucs pointus

Finalement, Paul 1 s'est mis en colère. Il a crié et levé les bras en l'air :

– Qu'est-ce qu'on peut lancer, alors ? Des ballons gonflables ?

Et il a tapé du poing sur la table. J'ai regardé Mlle Loïs. Elle nous observait, mais elle ne s'est pas levée. On était tranquilles pour l'instant. Je ne voulais pas que Paul 1 soit envoyé sur la chaise de ceux qui n'écoutent pas. On avait besoin de lui pour inventer le jeu. Soudain, j'ai eu une idée. J'ai écrit les mots « ballons gonflables ». Paul 1 a relevé la tête et il a demandé :

– Ça pourrait être des ballons à eau ?

Ruth a fait non de la tête.

– Même moi, je peux te répondre à ça, a-t-elle dit.

Je lui ai souri. C'était reposant de ne pas être celle qui disait non.

Ce qui nous a étonnés

Que Mlle Loïs annonce que la journée de classe était terminée. Je n'en revenais pas qu'il soit presque l'heure de rentrer chez nous.

– On reprendra ça jeudi, a dit Mlle Loïs.

Toute la classe a grogné parce qu'il fallait attendre longtemps. C'était bien plus sympa de préparer les jeux de la kermesse que de faire du travail normal. J'ai jeté un coup d'œil à Mimi, mais elle parlait avec Sammy. Avant qu'on parte, Mlle Loïs nous a distribué des formulaires. La moitié du haut servait à expliquer notre travail. Celle du bas était à faire remplir par les parents volontaires et à rendre à la maîtresse. Il fallait au moins un parent par famille qui vienne aider le jour de la fête. Chez nous, je savais déjà qui allait s'en occuper. Maman adore se porter volontaire.

La surprise à la maison

M. Canaille n'était pas à la porte quand je suis rentrée. Ça n'était pas habituel. Au début, ça m'a inquiétée, mais maman m'a crié :

– Elle est dans le jardin !

La surprise, c'est ce qu'elle a dit après :

– Alex joue avec elle en attendant que sa mère revienne ! Où est Mimi ? Je pensais qu'elle serait avec toi !

– Je ne sais pas, ai-je répondu.

Je n'avais pas envie de lui raconter qu'on s'était disputées. J'ai essayé de changer de sujet.

– Tiens, tu dois signer ça.

J'ai sorti le formulaire de mon cartable et je l'ai agité. Maman l'a pris sans le regarder et l'a posé sur la table.

– Je verrai ça plus tard, a-t-elle dit. Va mettre un mot sur la porte de chez Mimi pour qu'elle vienne ici quand elle rentrera chez elle.

La dernière chose que je voulais, c'était que Mimi vienne à la maison. Mais je n'avais pas le choix. J'ai pris un bout de papier et un stylo dans mon cartable, et je me suis dirigée vers la porte.

– Vous aurez droit à un cupcake pour le goûter, a ajouté maman.

Mais je n'avais pas plus envie de manger des cupcakes que de penser à Mimi.

Les cupcakes qui restent de la fois où je les ai faits avec mamie

La Surprise Dehors

Quand j'ai ouvert la porte, Mimi était juste devant. On ne s'y attendait pas du tout ni l'une ni l'autre. Elle a regardé par terre et elle a dit :

– Il n'y a personne chez moi.

J'ai dit :

– Je sais. Ta mère a prévu que tu viennes chez moi jusqu'à son retour. Alex est dans le jardin.

Mimi a soupiré. J'ai ouvert la porte en grand, et elle est entrée.

– Je vais chercher Alex, ai-je proposé.

Mimi n'a pas répondu.

Dès que j'ai ouvert la porte du jardin,

M. Canaille est arrivée en courant pour me dire bonjour. Elle a sauté une fois, puis elle s'est arrêtée. Elle était fatiguée. Alex est fort pour lui faire dépenser son énergie.

– Salut, Zoé ! m'a-t-il crié.

J'ai agité la main en lui demandant :

– Tu veux un cupcake ?

Il est arrivé en courant lui aussi.

– Tes cupcakes, c'est les meilleurs !

Je lui ai demandé comment il le savait, mais il a foncé à la cuisine sans me répondre. Mimi avait dû lui donner un des siens. Ça allait être dur de ne pas parler de ça. J'ai inspiré à fond et je l'ai suivi.

Mimi était déjà installée à la table de la cuisine. Alex s'est assis à côté d'elle. J'ai posé l'assiette de cupcakes au milieu de la table.

– Je n'ai pas faim, a dit Mimi en croisant les bras.

– Eh ben moi, si ! a dit Alex.

– Moi aussi ! ai-je dit à mon tour.

J'ai pris un cupcake.

– J'en veux un avec des bonbons nounours, a gémi Alex.

Mimi l'a regardé.

– Il n'y en a pas. Prends un de ceux-là. Zoé n'a pas de bonbons nounours.

– Mais si, a insisté Alex, qui commençait à s'énerver. Il y en avait sur les autres cupcakes !

Tout à coup, il a mis une main devant sa bouche.

Ce Qui Est Facile À Deviner

Ça n'est pas toujours facile de deviner quand un adulte ment, mais avec les petits, c'est différent. Comme ils ne sont pas encore très forts pour mentir, ça se voit souvent plus facilement. Toutes les deux en même temps, on a demandé à Alex :

– Quels autres cupcakes ?

Il nous a regardées, et il s'est mis à pleurer.

– Je ne l'ai pas fait exprès !

Mimi ne voyait pas du tout de quoi il parlait. Moi, si. Mon cerveau commençait lentement à comprendre.

Alex a fait oui avec la tête.

– Tiens, ai-je dit en lui tendant le cupcake que j'avais dans la main.

Il n'y avait pas de bonbons nounours dessus, mais ça a marché. Il a arrêté de pleurer pour mordre dedans.

– Qu'est-ce qui se passe ? a demandé Mimi à Alex.

Mais il avait la bouche pleine et il n'a rien dit. Mimi attendait une réponse, alors j'ai respiré à fond et je lui ai tout expliqué, à propos de la boîte avec la lettre d'excuses et les cupcakes.

– Tu m'as écrit une lettre ? m'a dit Mimi.

J'ai hoché la tête.

– Tu as mangé mes cupcakes ? a-t-elle demandé à Alex.

Il a hoché la tête.

Mimi nous a regardés à tour de rôle, comme si elle n'arrivait pas à croire ce qu'elle entendait. Puis elle s'est arrêtée sur Alex.

– Où est la lettre ?

Il a secoué la tête en baissant les yeux.

– Tu l'as jetée à la poubelle ?

J'ai retenu ma respiration en croisant les doigts. « S'il te plaît, Alex, dis non ! » Il fallait absolument que Mimi voie cette lettre.

Il a encore secoué la tête. J'ai recommencé à respirer, mais Mimi a continué :

– Elle a disparu ?

Alex a fait oui avec la tête. Je me suis demandé ce qu'il en avait fait. Deux secondes plus tard, j'ai eu la réponse.

– Tu l'as jetée dans les toilettes ? a demandé Mimi.

Alex est resté sans bouger, l'air effrayé.

Ce qui s'est passé après

Je ne voulais pas attendre de voir ce qui allait se passer après. Je ne voulais pas prendre de risques. J'ai filé dans la chambre, attrapé le pot de mamie et pris ma dernière pièce porte-bonheur. Et j'ai fait un vœu en la serrant très fort dans ma main.

Ce qui m'a porté chance

Ma pièce ! Quand j'ai rouvert les yeux, Mimi était à la porte de ma chambre.

– Je suis désolée, m'a-t-elle dit. J'ai cru que tu ne voulais plus qu'on soit amies.

– Bien sûr que si, ai-je répondu. Je t'ai écrit une lettre d'excuses spéciale.

Et ensuite, comme je voulais qu'elle sache à quel point je regrettais, je lui ai tout raconté.

Un autre coup de chance

Quand je suis redescendue avec Mimi, on était redevenues amies. Alex était toujours dans la cuisine, et il mangeait toujours des cupcakes !

– Tu en as mangé combien ? lui a demandé Mimi.

Les cupcakes avaient presque tous disparu de l'assiette.

– Maintenant, tu arrêtes, lui a ordonné Mimi en lui arrachant celui qu'il avait à la main. (Je crois qu'il a été trop surpris pour râler.) Tu auras de la chance si ça ne te rend pas malade ! Et si Zoé te pardonne d'avoir jeté sa lettre dans les toilettes.

Alex a pris un air inquiet. Moi, comme je ne savais pas quoi dire, j'ai juste hoché la tête.

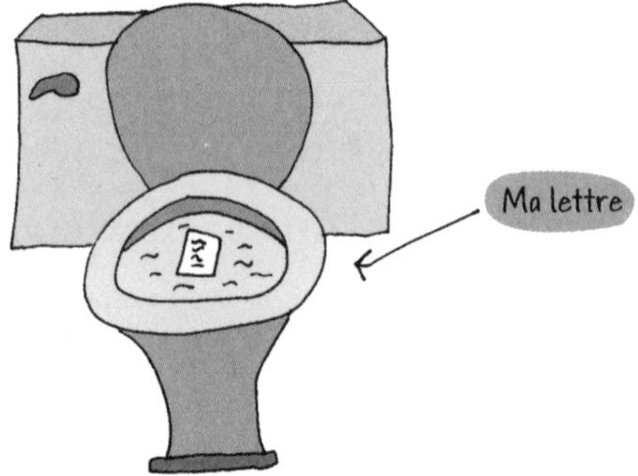

– Je crois que je vais manger celui-là, a conclu Mimi.

Elle a regardé celui qu'elle tenait. Heureusement, Alex n'avait pas eu le temps de mordre dedans.

– Bon, je vais en prendre un aussi, ai-je déclaré en attrapant le seul qui restait dans l'assiette.

Pendant une seconde, j'ai eu envie de crier « Vive les cupcakes ! », mais j'ai changé d'avis. Après tout ce qui s'était passé, ça n'était peut-être pas une bonne idée. J'ai pris une bouchée, et j'ai trouvé quoi dire à la place.

Des choses à rattraper

Mimi et moi, on avait plein de choses à rattraper, après deux jours sans se parler. Je lui ai raconté l'histoire avec Paul 1, en expliquant que, maintenant, je me sentais un peu mieux dans son groupe. Mimi m'a dit que ça l'étonnait d'entendre ça, et j'ai répondu que ça m'étonnait aussi de le dire, et on a ri. Ensuite, Mimi m'a parlé de son groupe à elle. Ils avaient déjà un plan complet pour leur jeu. Pas comme mon groupe, qui cherchait encore une idée.

Ce soir-là

Mimi et moi, on a fait clignoter nos lumières. On ne l'avait pas fait depuis longtemps. D'habitude, on s'envoie trois ou quatre signaux. Quand ça a été mon tour, j'ai prononcé un mot à chaque fois que je rallumais. Même si elle ne pouvait pas m'entendre, j'ai trouvé que c'était une bonne idée.

Ce qui rend une journée super dure

Savoir qu'on ne va pas pouvoir travailler sur la kermesse une seule petite minute de toute la journée. Paul 2 a râlé. J'ai espéré que ça changerait quelque chose, mais Mlle Loïs a juste dit :

– Concentrez-vous sur votre travail. Vous aurez tout le temps de penser à la kermesse demain.

Tout le monde s'est aperçu que Mimi et moi, on était de nouveau amies, et, même si les autres nous ont posé des questions, on ne leur a pas raconté un seul truc sur comment c'était arrivé.

La Suite du Travail pour la Kermesse

Le jeudi, je me suis réveillée en retard et j'ai dû me dépêcher pour aller retrouver Mimi. Du coup, maman m'a donné une de ces horribles barres de céréales au goût « pain perdu » à manger en route. C'était mieux que rien, mais pas beaucoup mieux.

Mimi et moi, on a dû courir pour arriver à l'heure. Ça n'est pas super facile de parler en courant, mais Mimi a quand même réussi à m'annoncer un truc important. Elle allait passer le week-end à Philadelphie avec ses parents. Ça m'a rendue un peu triste, mais je n'ai rien dit. Perdre Mimi pour seulement deux jours, c'était bien moins grave que de la perdre pour toujours !

En classe, Mlle Loïs nous a laissés nous remettre en groupes pour travailler.

– Regardez ce qu'on a apporté ! a lancé Ruth.

Paul 1 et elle nous ont montré des ballons gonflables.

– Si on les gonfle, ça nous donnera peut-être quelques idées pour notre jeu, a ajouté Paul 1.

J'ai dit OK. J'en avais marre de dire non. Si ça ne plaisait pas à Mlle Loïs, elle pourrait toujours nous demander d'arrêter.

Les Expériences Avec Des Ballons

Les ballons gonflables, c'est dur à lancer. Ils ont tendance à flotter.

– On devrait peut-être accrocher quelque chose au bout, a suggéré Alex. Ça les rendrait plus lourds et plus faciles à lancer.

On n'avait pas tellement de choix. On a essayé avec un stylo, mais c'était trop léger.

– On peut essayer avec ma trousse, a proposé Ruth. Il y a deux stylos et une gomme dedans.

J'étais en train d'attacher la trousse au nœud du ballon quand Mlle Loïs est venue nous dire :

– Vous travaillez très bien en groupe,

Mais vous devriez peut-être garder les expériences pour chez vous. Vous pourriez vous donner rendez-vous après l'école ou le week-end.

Tout le groupe a été surpris sauf moi. J'étais sûre qu'on n'avait pas le droit de lancer des ballons dans la classe. Aucun des autres groupes ne faisait ce genre de trucs.

– C'est pas juste ! s'est écrié Paul 1.

– Où est-ce qu'on va s'entraîner ? a gémi Ruth.

Sans réfléchir, j'ai proposé :

– On n'a qu'à le faire chez moi.

– Quand ? a demandé Alex. Aujourd'hui ?

Mais c'était trop tôt. Il fallait d'abord que je demande à ma mère.

– Euh... pourquoi pas samedi ? ai-je répondu.

– Bon, d'accord, a dit Paul 1. C'est toujours mieux que rien.

J'ai froncé les sourcils. « Mieux que rien » ? Pas étonnant que Paul 1 se fasse toujours disputer. Il est super impoli.

Le Déjeuner

À midi, Mimi m'a dit qu'elle aussi, elle allait recevoir son groupe chez elle :

– Ils viennent vendredi. Tu peux venir. On mangera de la pizza.

J'ai eu trois pensées.

Mes Pensées

1. Ils n'auront pas besoin de moi là-bas.
2. Le groupe de Mimi est mieux que le mien.
3. J'aime vraiment beaucoup la pizza.

Quelquefois, quand on a envie de se plaindre, on dit un truc qu'il ne faut pas. Ça a failli être une de ces fois-là, mais je me suis arrêtée juste à temps et j'ai dit à la place :

– OK. Je viendrai manger de la pizza.

– Ah, chouette ! s'est exclamée Mimi. Ce sera plus sympa si tu es là.

– C'est bête que tu ne puisses pas venir samedi quand mon groupe à moi sera là, ai-je dit.

Mimi a souri d'un air un peu déçu. Il y avait une grosse différence entre passer du temps avec son groupe et avec le mien. À tous les coups, elle a pensé que ça tombait bien qu'elle soit tout le week-end à Philadelphie.

Ce qui s'est passé l'après-midi

Mlle Loïs nous a donné du travail normal. On n'a pas arrêté de grogner et de se plaindre. Mais avant les maths, elle nous a montré les couronnes-cupcakes qu'elle avait fabriquées pour les gagnants du Défi des cupcakes.

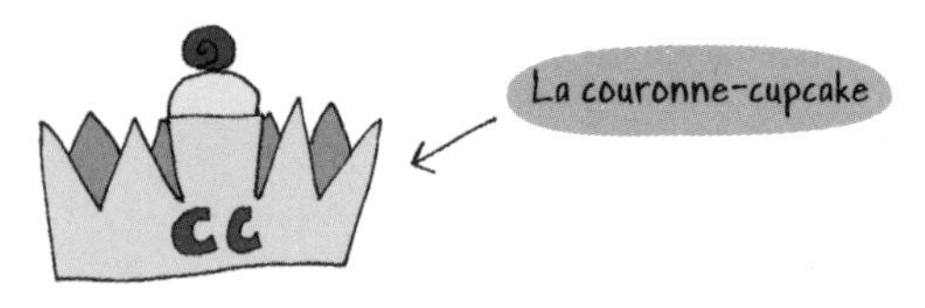

Ce soir-là

Il n'est pas arrivé grand-chose de très intéressant, à part que j'ai prévenu maman que Paul 1, Alex Walters et Ruth seraient là samedi. Maman était sûre que tout se passerait très bien. C'était facile à dire pour elle ; elle ne les avait jamais rencontrés !

En plus, avec Mimi qui ne serait pas là, je n'avais rien de sympa à attendre de tout le week-end.

Le vendredi est le meilleur jour de la semaine même s'il ne se passe rien d'extraordinaire, parce que notre cerveau sait que le lendemain, il n'y a pas école

Les trucs sympas qui sont arrivés aujourd'hui

1. À midi, j'ai mangé avec Mimi et Sunni. C'était doublement une surprise parce que, premièrement, je n'avais jamais déjeuné avec Sunni avant, et deuxièmement, elle était très sympa.

2. Mlle Loïs nous a laissés travailler en groupe toute la seconde moitié de l'après-midi. Comme on n'avait toujours pas d'idée de jeu, on a surtout regardé les autres. J'espérais vraiment que, en faisant des essais avec le ballon le samedi, on allait trouver quelque chose. Sinon on était vachement mal partis.

Après l'école, je suis rentrée avec Mimi, Sammy, Max et Sunni. Ça me faisait un peu bizarre que Sunni soit là, mais le temps qu'on arrive chez moi, je m'y étais habituée.

– C'est à quelle heure, la pizza ? ai-je demandé à Mimi.

– Six heures et demie, mais tu peux venir à six heures.

– D'accord, ai-je dit. À tout à l'heure.

Je les ai regardés entrer tous ensemble chez Mimi et je suis rentrée chez moi. Je sais que c'est mal, mais je n'ai pas pu m'en empêcher : je me suis sentie un peu jalouse et un peu triste.

Jalouse + triste = jaliste

D'être avec M. Canaille, ça m'a consolée. Presque toute la tristesse est partie. J'ai eu plus de mal à me débarrasser de la jalousie. Sans doute qu'elle est plus collante.

Chez Mimi

À six heures, je suis allée chez Mimi. Quand j'ai vu leur jeu, j'ai trouvé ça dingue tellement il était chouette. Il était même carrément génial.

– Ça s'appelle le lancer de bonbons, m'a précisé Sunni.

– Qui a fabriqué tous les bonbons ? ai-je demandé.

– Mimi et Sunni, m'a répondu Sammy. Max et moi, on a peint les cupcakes.

– Tu savais que Sunni savait coudre ? m'a dit Mimi. Une fois que je lui ai montré, elle s'est super bien débrouillée.

Sunni a baissé les yeux et elle est devenue toute rouge. C'était la première fois que je la voyais gênée.

Il y avait une échelle appuyée sur le plateau du jeu avec les cupcakes dessinés dessus. Sammy est monté tout en haut et il a dit :

– Hé, Max, lance-moi les bonbons !

Max les lui a lancés.

– Je vais essayer de jouer d'ici, a annoncé Sammy.

Il s'est penché et il a jeté les bonbons sur les cupcakes. Chaque bonbon a atterri pile où il fallait, sur le glaçage des gâteaux.

Le jeu du lancer de bonbons

1. On prend cinq bonbons.
2. On recule un peu (Mimi a dit qu'ils devaient encore décider jusqu'où) et on lance les bonbons.
3. Pour gagner, il faut faire atterrir chaque bonbon sur le glaçage d'un cupcake.

– C'est bien qu'on ne se serve pas de l'échelle dans le vrai jeu, a dit Sammy. C'est trop facile.

J'ai pris un bonbon et je l'ai lancé. J'ai complètement raté.

– C'est plus dur si on lance d'en bas, ai-je dit.

Sammy et Max ont souri tous les deux. C'était un bon jeu.

Après la pizza, tout le monde a dû partir. Mimi devait se coucher tôt parce qu'elle partait à six heures du matin le lendemain. Le soir, Mimi et moi, on a fait clignoter nos lumières huit fois chacune : quatre fois pour ce soir-là et quatre pour le lendemain soir, où elle ne serait pas là.

Le Samedi

Je n'avais pas grand-chose à préparer pour l'arrivée du groupe, mais j'étais quand même stressée. Maman m'avait promis d'acheter des ballons, et j'ai sorti de la colle et des feutres, du carton et des feuilles de papier. J'ai cherché une super idée de jeu, mais je n'arrivais pas à penser à autre chose qu'au jeu de Mimi qui était vraiment génial.

Plus l'heure approchait, plus j'étais stressée. Ça me faisait bizarre que des enfants que je ne connaissais presque pas viennent chez moi. Je me serais sentie bien mieux si Mimi avait été là. Alex Walters est arrivé le premier. Coup de chance, il est super fan de chiens, sinon on n'aurait pas su de quoi parler. Dès qu'il a entendu M. Canaille aboyer dans le jardin, il a voulu sortir pour lui lancer sa balle. Je pensais qu'il allait trouver ça bizarre qu'on ait un chien fille avec un nom de chien garçon, mais non. Il a juste dit :

– J'aimerais bien avoir un chien.

Ça ne l'a même pas gêné de toucher la balle pleine de bave.

Ruth et Paul 1 sont arrivés dix minutes après. Alex voulait qu'on commence à jouer avec les ballons, mais j'ai expliqué que ma mère était partie les acheter et qu'elle n'était pas encore revenue. Papa est venu dire bonjour à tout le monde, et j'ai fait les présentations. Il avait déjà entendu parler de Paul 1 parce que je me plains souvent de lui, mais il n'a rien dit. Mon père est assez fort pour ne pas dire des trucs qui pourraient vexer les gens.

– Ton chien connaît des tours ? m'a demandé Paul 1.

– Juste un, ai-je répondu. Mais il n'est pas génial. Elle sait juste s'asseoir.

– On peut voir ? a demandé Ruth.

– OK.

J'ai pris la balle à Alex, je l'ai levée bien haut et j'ai ordonné :

– Assis, M. Canaille. Assis.

Pendant une seconde, elle est restée là sans bouger, mais elle a fini par s'asseoir.

– Elle sait serrer la main ? a demandé Alex.

Sans attendre que je lui réponde, il s'est

penché et lui a pris la patte. Aussitôt, M. Canaille s'est couchée sur le côté.

– Trop cool ! s'est écrié Paul 1. C'est comme dans les jeux vidéo quand on élimine un obstacle ! Comment tu as fait ?

– Moi, je n'ai rien fait du tout, a dit Alex. Elle l'a fait toute seule.

– Waouh ! s'est exclamé Paul 1. Super génial, ce chien !

Alex et Paul 1 ont recommencé plusieurs fois chacun, et ils étaient impressionnés. Dire que M. Canaille savait faire un tour et que je ne le savais pas !

L'erreur de Maman

Maman est sortie du garage quelques secondes plus tard. J'ai tout de suite vu qu'elle n'avait pas pris les bons ballons. J'avais oublié de lui signaler qu'il nous fallait ceux qu'on doit gonfler soi-même.

– J'ai dû faire trois magasins pour les trouver, m'a-t-elle précisé.

Si elle s'était donné tout ce mal, pas question de lui dire que ça n'allait pas. Alors j'ai juste dit merci.

J'ai attaché les ballons à une chaise pour qu'ils ne s'envolent pas et on a discuté de ce qu'on allait faire ensuite.

– J'ai apporté ma trousse, a dit Ruth.

– On va voir si ça marche, ai-je répondu.

J'ai attaché la trousse à l'un des ballons, mais ça n'était pas assez lourd. Ruth a ramassé des cailloux qu'elle a mis dans sa trousse.

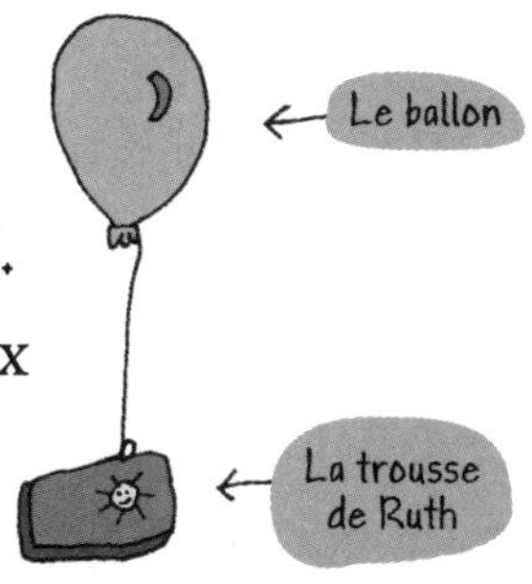

– Maintenant, on le lance, a annoncé Paul 1.

Mais pendant qu'il essayait, son bras s'est pris dans la ficelle.

– Crétin de ballon, a grogné Paul 1.

Il a voulu lui donner un coup de pied, mais il a mal visé. C'était dur de ne pas rigoler.

– Laisse-moi faire, a dit Alex.

Et il a lancé la balle de M. Canaille sur le ballon. La balle a cogné le ballon et l'a poussé de quelques mètres.

– À moi ! a dit Paul 1.

Et ça a marché avec lui aussi.

– On va faire la course ! s'est écrié Alex.

Il a attaché des bâtons à un autre ballon qu'il est allé mettre à côté de celui de Paul 1 et il a ramassé une autre balle de M. Canaille.

– Toi, tu essaies de toucher le ballon vert, et moi le rouge, a expliqué Alex à Paul 1.

– Et le gagnant est le premier dont le ballon arrive au buisson, là-bas, a décidé Paul 1.

J'étais découragée. Pas étonnant qu'ils

n'avancent jamais en classe. Ils ne savaient pas se concentrer ! On était censés travailler sur notre jeu, pas faire une course de ballons !

Tout le monde a été étonné quand j'ai crié. Mais ils l'étaient encore plus quand j'ai expliqué pourquoi.

– Ça y est ! On a trouvé notre jeu ! me suis-je exclamée.

– Ah bon ? m'ont-ils répondu en chœur.

J'ai fait oui de la tête en montrant les ballons.

– Il ne reste plus qu'à inventer un thème cupcake-Spider-Man.

Il a fallu du temps pour se mettre d'accord sur ce qu'on allait faire, mais à cinq heures, on avait tout fini. J'étais étonnée.

Finalement, on s'était bien débrouillés. Cette fois, quand Alex a voulu me taper dans la main, je l'ai laissé faire. Le seul truc qui ne m'emballait pas trop, c'était le nom de notre jeu, mais comme tous les autres l'aimaient bien, j'ai dit que j'étais d'accord.

Quelquefois, il faut savoir suivre le groupe même si on trouve que son choix n'est pas génial.

Spider-Man contre le Monstre Cupcake

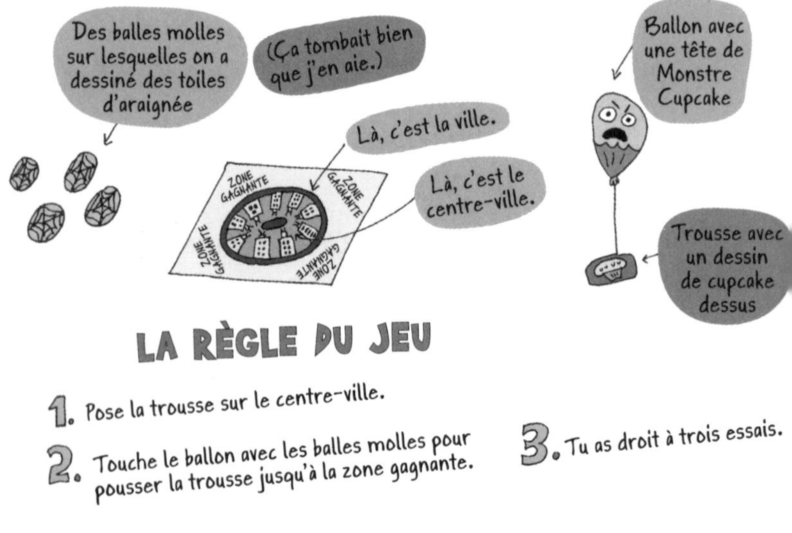

Je ne l'ai pas réalisé tout de suite, mais travailler avec mon groupe, ça a été mon activité la plus sympa de tout le week-end.

Ce qui s'est passé le reste du week-end

Rien – je me suis ennuyée. Mimi m'a manqué. J'ai juste pensé à trois superpouvoirs que la boule *Héros d'un jour* n'a pas réussi à deviner.

1. Le pouvoir d'empathie.
2. Le pouvoir du ballon – flotter comme un ballon.
3. Le pouvoir de la bave – baver sur les choses pour empêcher les autres d'y toucher.

Quatre Trucs Chouettes Qui Sont Arrivés Lundi

1. Mimi m'a raconté son week-end à Philadelphie. Elle a trouvé ça génial. Les trois activités qu'elle a préférées, ça a été les visites de l'aquarium, de la Cloche de la Liberté et d'une vieille prison. Elle a dit que la prison, c'était super intéressant. Mais que le mieux, ça a été de toucher un requin à l'aquarium. C'était seulement un bébé requin, mais c'était quand même impressionnant.

2. Mlle Loïs a mis son chapeau cupcake pour qu'on puisse tous le voir.

3. La mère de Sandra Orr a apporté un costume de cupcake géant pour que

quelqu'un le porte à la kermesse. Elle a dit que c'était un vieux déguisement d'Halloween, mais qu'il serait parfait pour notre fête.

4. Mlle Loïs a demandé des volontaires pour préparer des cupcakes. J'ai tout de suite levé la main. Bien obligée, vu que j'avais la meilleure recette du monde entier.

Ça faisait beaucoup de nouvelles sympas pour une seule journée.

Avant qu'on parte, Mlle Loïs nous a rappelé qu'on devait rendre nos projets de jeu et les formulaires remplis par nos parents. Elle a dit :

– Je répartis les tâches des adultes ce week-end. J'ai besoin de récupérer les formulaires.

Ce dont on a parlé avec Mimi sur le chemin du retour

Dès que je suis rentrée à la maison, j'ai rappelé à maman qu'elle avait un formulaire à remplir et j'ai rangé le projet de jeu de mon groupe dans mon cartable près de la porte. J'avais trop peur de l'oublier le lendemain. On s'était bien mieux débrouillés que je ne l'aurais cru. J'en étais même fière ! J'ai souri, jeté un dernier coup d'œil sur notre feuille, et j'ai couru retrouver M. Canaille dans le jardin.

La Surprise De Mardi

Mlle Loïs a pris notre projet de jeu comme modèle pour le montrer à toute la classe. Ça tombait bien qu'on ait pensé à expliquer la règle du jeu, surtout que plein d'autres groupes avaient oublié de le faire.

Après la classe, j'ai invité Mimi à venir goûter chez moi, mais elle devait recoudre quelques-uns des bonbons en feutrine pour son jeu.

– En fait, Sunni n'est pas si forte que ça en couture, a ajouté Mimi.

– Oh, ai-je dit.

C'était peut-être pour ça que Sunni avait rougi. Comme en classe, elle est forte en tout, c'était assez agréable de découvrir qu'elle n'était pas parfaite.

Les Deux Choses Sympas Qui Sont Arrivées Mercredi Après L'école

J'ai montré à Mimi le nouveau tour de M. Canaille. Elle l'a adoré. Elle n'en revenait pas que ce soit Alex Walters qui l'ait trouvé. Il avait réussi à inventer un nouveau tour à partir d'un tour raté. C'était assez incroyable.

Mimi et moi, on a fait une liste de tous les ingrédients qu'il nous fallait pour préparer quarante-huit cupcakes. Une chance que maman ait acheté une tonne de décorations pour cupcakes quand mamie était venue ; on avait déjà presque tout !

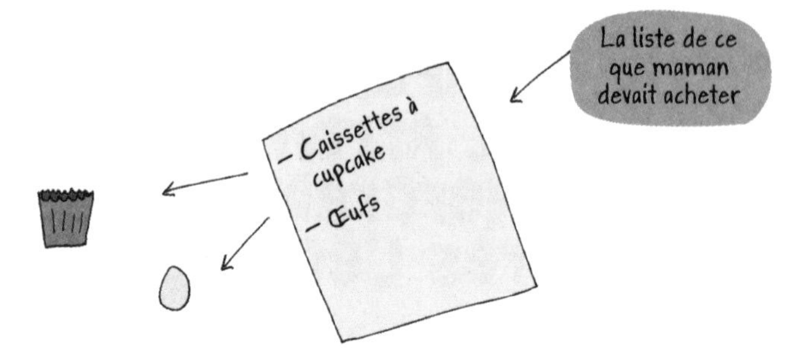

JEUDI

Mlle Loïs a annoncé que, même si la kermesse ne commençait qu'à onze heures le samedi matin, on devait être à l'école à neuf heures et demie avec nos jeux.

– Vous aurez besoin de temps pour les installer et tout préparer, nous a-t-elle expliqué.

J'avais trop hâte. On y était presque !

Ce Qui Était Sympa

On a passé l'après-midi à fabriquer des pancartes pour nos jeux. On était excités un peu comme pour un anniversaire, mais avec une différence : pour les fêtes d'anniversaire, on n'a pas peur de tout gâcher.

La pancarte de notre jeu

SPIDER-MAN CONTRE LE MONSTRE CUPCAKE

Vendredi

Ma première pensée en me réveillant, ça a été : « Plus qu'un jour avant la kermesse. » La journée allait me paraître longue. J'en étais sûre. C'est toujours comme ça quand on est excité à propos d'un truc qui va seulement arriver le lendemain.

Pendant que je prenais mon petit déjeuner, le téléphone a sonné.

– Ça doit être Mimi, ai-je dit. Je parie qu'elle aussi, elle est excitée.

J'ai décroché, mais ce n'était pas Mimi. C'était un coup de téléphone pour maman.

Ce n'était pas dur de deviner de quoi elle parlait. En raccrochant, elle a déclaré :

– Je ne suis pas fière de moi. J'ai oublié de rendre le formulaire.

– C'était pour quoi ?

– Le bénévolat pour la kermesse. Ils ont besoin de moi pour quelque chose de spécial.

– C'est peut-être pour tenir la caisse, ai-je supposé. Les enfants n'ont pas le droit de s'occuper des tickets ni de l'argent.

Maman a souri.

– En tout cas, je suis certaine que ce sera sympa.

Ensuite, elle m'a demandé :

– Qu'est-ce que tu veux pour ton petit déjeuner ?

– N'importe quoi sauf des barres au

goût « pain perdu », ai-je répondu. C'est trop mauvais !

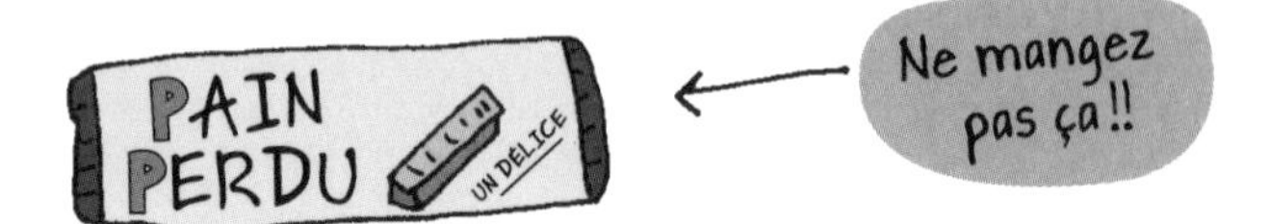

Ce qui s'est passé à l'école

Mlle Loïs est une maligne. Elle a vu tout de suite qu'on serait nuls pour faire le travail normal. Alors, au lieu de nous donner des exercices, elle nous a laissés fabriquer des décorations pour la kermesse. Mes préférées, c'était les cupcakes fourrés en papier. J'en ai préparé trois, et j'aurais pu en faire plus, sauf que Mlle Loïs n'avait plus d'agrafes pour son agrafeuse.

Comment on fabrique des cupcakes fourrés

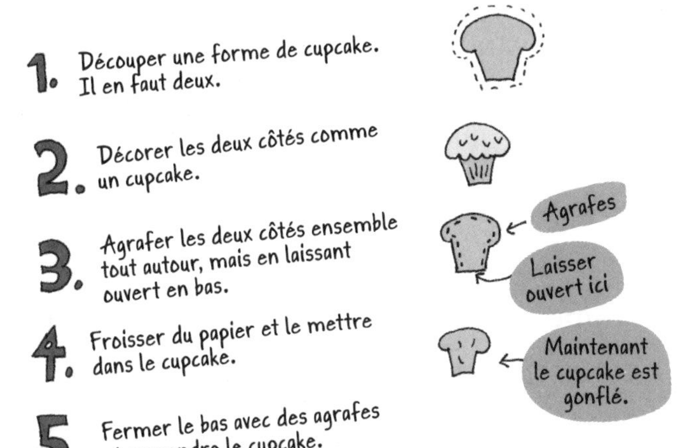

À la fin de l'après-midi, Mlle Loïs nous a montré un film sur les baleines. Ça n'avait aucun rapport avec les cupcakes, mais ça ne fait rien. C'était quand même super.

Le Défi des cupcakes

Juste avant qu'on parte, Mlle Loïs a rappelé à toute la classe qu'on devait être à l'école à neuf heures trente avec nos jeux, et que le Défi commençait à trois heures sur le terrain de sport, derrière la cantine. C'était comme si elle nous avait dit : « Hé, demain, c'est votre anniversaire. N'oubliez pas de venir ! » On savait tous quand c'était, et où c'était, et on était trop pressés d'y être.

Ce qui s'est passé sur le chemin de la maison

Alors que Mimi et moi, on était presque arrivées chez nous, j'ai vu un truc qui brillait sur le trottoir. Je me suis penchée, et là, pile à côté de mon pied, il y avait une pièce porte-bonheur. C'était la première que je trouvais pour le pot de mamie.

À la maison, j'ai tout de suite filé dans ma chambre pour mettre la pièce dans le pot. C'était chouette de savoir que j'avais un porte-bonheur dedans en cas de besoin.

Faire des cupcakes

Après avoir déposé ses affaires chez elle, Mimi est venue à la maison. Maman a dit qu'on pourrait manger de la pizza pour le dîner quand on aurait fini de préparer les cupcakes. Mimi et moi, on préfère toutes les deux la partie décoration à la partie fabrication. Du coup, après la première fournée, maman nous a aidées en préparant les autres. On avait un peu trop de travail de décoration pour s'en occuper, de toute façon.

Ce Qui Est Fantastique

L'odeur des cupcakes qui cuisent dans le four. J'avais hâte qu'ils soient prêts. Papa a trouvé qu'on aurait dû prévoir d'en faire plus de quarante-huit, parce que ce n'était pas juste que ça sente aussi délicieusement bon dans la cuisine et qu'il n'y en ait pas un seul pour lui. Maman a gémi :

– Je pense qu'on va y passer la nuit.

Moi, ça ne me gênait pas. C'était sympa

d'avoir une activité. Ça faisait passer le temps plus vite jusqu'au lendemain.

Ce qui a mis super longtemps

Fabriquer et décorer tous les cupcakes ! Ceux du début étaient carrément plus décorés que ceux de la fin. Mais ils seraient quand même tous délicieux ; ouf !

Ce qui s'est passé à l'heure du coucher

Mimi et moi, on a fait clignoter nos lumières deux fois : une fois pour chaque mot de « Vivement demain ! »

Ce qui a été dur

M'endormir. Même avec M. Canaille roulée en boule à côté de moi, je n'arrivais pas à avoir sommeil. Ça n'est pas facile d'avoir sommeil quand on a le cerveau tout excité.

Les Préparatifs de la Kermesse

Quand je me suis levée, maman était déjà en bas en train de préparer du pain perdu.

– Du vrai pain perdu pour le Défi des cupcakes ! a-t-elle précisé. Pour te donner de l'énergie en plus.

Je lui ai fait un câlin. C'est important de montrer à nos parents qu'on est content quand ils font un truc sympa pour nous.

Le pain perdu était excellent, cent pour cent meilleur que les horribles barres de céréales au goût « pain perdu » des derniers jours. Après le petit déjeuner, je me suis préparée pour la kermesse.

Une fois à l'école, maman m'a aidée à tout porter dans la salle d'activités. Le sol était couvert de grandes cases marquées par du gros ruban adhésif, chacune avec le nom d'un groupe écrit dedans. Je n'ai pas eu de mal à trouver la case de mon équipe, parce que ceux de mon groupe étaient déjà dessus.

– À tout à l'heure, m'a dit maman. Je reviens dans une heure pour ma mission.

– D'accord, maman !

À chaque seconde, il y avait un peu plus d'agitation dans la salle. C'était dur de ne pas prendre du temps pour regarder ce que les autres apportaient, mais je me suis forcée à me concentrer ; on avait notre jeu à installer.

Les Jeux

Quand notre jeu a été prêt, j'ai fait un tour dans la salle pour voir ce que les autres avaient préparé. Il y avait des jeux super.

Ce Qui S'est Passé À Dix Heures Quarante-cinq

Chaque équipe s'est rassemblée à côté de son jeu, et Mlle Loïs a présenté les groupes aux parents volontaires qui allaient les aider.

– Le parent est la seule personne qui ait le droit de distribuer les tickets, a précisé Mlle Loïs. Mais en dehors de ça, c'est à vous de vous occuper de votre jeu.

Je pensais que maman allait être notre parent volontaire, mais elle n'était nulle part. Et à la place, on a eu la mère de Paul 2. La mère de Paul 2 n'est pas comme Paul 2 ; elle aime bien parler. Après les présentations, elle a dit :

– Vous pouvez m'appeler Karen.

Je crois que ça nous aurait fait un peu bizarre de l'appeler par son prénom, et tout le monde a continué à l'appeler « maman de Paul 2 ». Mais ça n'a pas eu l'air de la déranger.

– Vous pouvez m'expliquer la règle du jeu ? a-t-elle demandé.

Paul 1 lui a fait une démonstration. J'ai vu qu'il était excité, parce qu'il expliquait plein de trucs qui ne servaient à rien.

Ce qui s'est passé à onze heures

Je n'en suis pas revenue quand Mlle Loïs a dit :

– Préparez-vous, les enfants, les gens arrivent.

Tout à coup, en même temps que j'étais excitée, je me suis sentie un peu inquiète.

Excitée + inquiète = exquiète

Et si personne ne voulait jouer à notre jeu ? Et si les gens allaient à tous les jeux sauf au nôtre ? Mais je me suis seulement inquiétée pendant deux minutes, parce que les petits garçons ont vu le nom de notre jeu et ils ont tout de suite voulu y jouer. Paul 1 avait eu raison. Spider-Man contre le Monstre Cupcake, c'était un bon nom.

Ce que je cherchais

Même si on était très occupés, je continuais à chercher maman. Je voulais qu'elle voie que notre jeu marchait super bien. Alors je suis sortie en douce dans le couloir pour voir si elle y était. Il y avait plein de monde, mais pas maman. Quelqu'un avait mis le déguisement de cupcake géant. Il avait l'air mignon et idiot en même temps. Il était très sympa, et il a fait de grands signes en me voyant. Alors j'ai agité la main à mon tour et je l'ai observé une minute. Les gens adorent les personnages géants déguisés. Je parie que de le

croiser dans le couloir, ça donnait envie aux parents de venir essayer nos jeux. Le cupcake a encore agité la main, et je lui ai souri avant de retourner dans la salle.

Vers midi, j'ai commencé à me demander si maman avait oublié de venir à la kermesse. Normalement, elle n'oublierait jamais un truc pareil, mais ces temps-ci, elle oubliait plein de trucs.

C'était dur de me concentrer sur le jeu et de m'inquiéter en même temps. Tout à coup, Paul 1 m'a attrapé le bras et il a crié :

– Regarde ! C'est le cupcake géant !

– Je sais, ai-je dit. Je l'ai déjà vu.

Et j'ai continué à m'occuper d'un petit garçon qui jouait à notre jeu.

– Il vient par ici ! s'est remis à crier Paul 1. Salut, cupcake géant ! Zoé, regarde !

Il m'a donné un coup de coude et je me suis retournée pour râler, mais le cupcake était là, à deux pas de moi. C'est dur de ne pas être surpris quand un cupcake géant se plante sous votre nez.

Soudain, le cupcake m'a attrapée et m'a prise dans ses bras.

– C'est moi ! m'a-t-il dit.

J'ai essayé de me libérer, mais je n'ai pas

réussi. Le cupcake me serrait trop fort. J'entendais Paul 1 qui riait derrière moi.

– C'est moi ! a répété le cupcake. C'est maman !

J'ai arrêté de me tortiller.

– Maman ? C'est toi, là-dedans ? ai-je demandé.

– Oui, m'a répondu le cupcake. Regarde mes chaussures.

J'ai baissé les yeux. Le cupcake portait les chaussures de maman. C'était maman ! Je lui ai fait un câlin géant.

Ce Qui A Passé À Toute Vitesse

Tout à coup, Mlle Loïs a annoncé que les jeux allaient s'arrêter dans cinq minutes. Je n'arrivais pas à croire que ce soit déjà fini. C'est bête que la classe normale ne passe pas aussi vite.

Quand la dernière personne est partie, Mlle Loïs a fermé la porte et nous a donné un quart d'heure pour regarder les jeux des autres groupes.

– Pas la peine, a dit Paul 1. C'est le nôtre, le meilleur. Moi, je reste là pour le surveiller.

J'ai souri. Je savais bien que personne n'allait le voler, mais c'était sympa de voir qu'il l'aimait autant. Il pouvait l'emporter chez lui s'il voulait. Même si on avait pris plein de trucs de chez moi pour le fabriquer, je n'en avais pas besoin.

Les autres jeux que j'ai préférés

Après voir vu tous les jeux, j'avais hâte

d'aller découvrir le reste de la kermesse dehors. Maman avait promis de faire un tour avec Mimi et moi, et de nous acheter de la barbe à papa et du pop-corn.

– Et n'oubliez pas ! nous a crié Mlle Loïs. Le Défi des cupcakes, c'est à quinze heures au terrain de sport.

Trois minutes plus tard, la salle était vide. Il n'y avait plus que Mimi et moi. On attendait que maman enlève son costume, et elle mettait des heures.

– Alors, où sont passés les cupcakes qu'on a faits hier ? m'a demandé Mimi.

On n'avait pas vu Mlle Loïs, mais elle était pile derrière nous, et elle a dit :

– Ne vous inquiétez pas, on va les vendre après le Défi des cupcakes cet après-midi.

Elle nous a saluées en portant une main

à son chapeau et elle est sortie. Finalement, maman est arrivée en râlant.

– Ce costume était plus difficile à enlever qu'à mettre. Et on étouffe là-dedans.

Elle a agité la main en éventail devant son visage. Elle était toute rouge et toute décoiffée, mais je n'ai rien dit parce qu'il aurait fallu attendre encore dix minutes qu'elle s'arrange dans les toilettes, et j'étais pressée d'aller au toboggan géant.

– On peut y aller ? ai-je demandé.

– D'accord, a cédé maman avec un soupir. Mais si vous voyez une fontaine à eau, prévenez-moi.

La Kermesse De L'école

Comme la kermesse de l'école est à peu

près pareille tous les ans, on savait assez bien où aller. Après le toboggan géant, on a acheté des hot-dogs, du pop-corn et de la barbe à papa, et on a joué à quelques jeux. Si on gagne assez de tickets, on peut remporter un prix et aller le chercher au stand des prix. Mimi et moi, on a eu toutes les deux un bracelet, sauf que le sien était rouge et le mien bleu.

Vers deux heures et demie, Mimi et moi, on était prêtes pour le Défi des cupcakes. Mais comme il était encore trop tôt, on a fait deux tours supplémentaires de toboggan géant pour passer le temps.

Le Défi des cupcakes

À trois heures moins dix, on pouvait enfin y aller. Tout le monde était là, et tout le monde était excité. Il y avait déjà des trucs installés, mais c'était dur de deviner ce qu'on allait devoir faire.

L'année dernière, pour le Défi des oiseaux, il fallait mettre des palmes et marcher comme un canard. C'était super rigolo à regarder. Mais j'étais presque sûre qu'on ne ferait pas ça cette année. Les palmes, ça n'a pas tellement de rapport avec les cupcakes.

M. Clausen, le professeur de sport, était à côté de Mlle Loïs et il a crié dans son mégaphone :

– LES ENFANTS, RASSEMBLEZ-VOUS PAR ÉQUIPES.

Il y en a qui disent qu'avant, M. Clausen était un militaire. Je crois que c'est vrai, parce qu'il aime bien crier. Il est gentil, mais il fait quand même un peu peur.

Ensuite, il a ajouté :

– BIENVENUE AU DÉFI DES CUPCAKES ! QUE CHAQUE ÉQUIPE SE PLACE EN RANG DERRIÈRE LA LIGNE BLANCHE !

Normalement dans la classe, quand on doit faire un truc qui n'est pas habituel, on se met tous à parler. Mais là, non. Les autres devaient être comme moi ; ils ne voulaient pas faire de bêtises. Ils avaient trop peur d'être grondés par quelqu'un avec un mégaphone. Même Alex Walters et Paul 1 se sont mis en rang comme il fallait.

– Je voudrais passer en premier, nous a chuchoté Ruth.

On était tous d'accord. Je crois que ça nous arrangeait bien.

M. Clausen a vérifié qu'on faisait bien ce qu'il fallait, puis il nous a expliqué comment ça allait se passer.

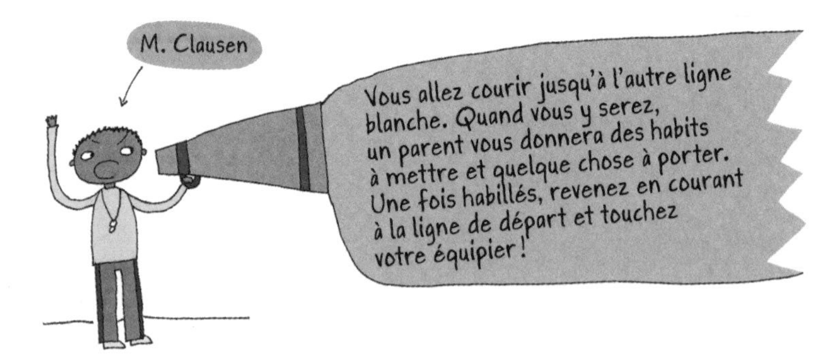

J'ai vu qu'il n'y avait que quatre équipes qui n'étaient pas de notre classe. Apparemment, le Défi des cupcakes a moins de succès quand on n'est pas dans la classe de Mlle Loïs. C'était une bonne nouvelle pour nous : il n'y avait pas trop de concurrence. Tout à coup, je me suis dit que mon équipe avait une chance de gagner.

M. Clausen a passé son mégaphone à Mlle Loïs et elle a rappelé :

– ET N'OUBLIEZ PAS QUE CE N'EST QU'UN JEU !

Elle essayait de nous détendre, mais ça n'a pas marché. On était bien trop stressés et excités pour qu'une petite phrase puisse changer quelque chose. J'ai collé les deux mots dans ma tête :

Stressé + excité = strexcité

J'ai regardé Mimi, qui m'a souri en

levant les pouces. Ça, ça m'a quand même un petit peu aidée.

La course

Dès qu'on a entendu le coup de sifflet, Ruth a foncé. D'un seul coup, je n'étais plus du tout nerveuse ; juste excitée. Elle courait vite, ce qui m'a étonnée parce que je ne le savais pas. Quand elle est arrivée à l'autre ligne blanche, elle a mis une toque de cuisinier sur sa tête, elle a pris un sac de farine, elle l'a ouvert et elle l'a vidé dans un saladier. Brusquement, il y avait de la farine partout. C'était dur de la voir derrière le nuage de poudre.

Le parent lui a expliqué quelque chose en pointant le doigt par terre. Ruth a ramassé une cuillère en bois et l'a plantée dans le saladier. Ça tombait bien qu'il y ait des parents de l'autre côté pour nous dire quoi faire. Je n'aurais jamais pu retenir autant de trucs. Quand Ruth a eu tout bien fait comme il fallait, le parent nous a montrés du doigt et Ruth est revenue en courant jusqu'à notre ligne blanche, avec le saladier. Dans les autres équipes, il y en a qui ont fait tomber leur cuillère, mais pas elle. Elle était super forte. On était les premiers !

Après, c'était le tour d'Alex Walters. Quand il est arrivé à l'autre bout, il a mis un tablier et il a dû ouvrir une boîte d'œufs et en prendre un. Il a pris une cuillère et mis l'œuf dedans pour le porter. Normalement, il devait courir en gardant l'œuf dans la cuillère, mais c'était quasi impossible. L'œuf n'arrêtait pas de tomber. Heureusement que c'était des œufs durs, ou on aurait été fichus. Je criais tellement que j'avais mal à la gorge. Mais je m'en fichais ; j'étais super excitée, et tout de suite après, c'était mon tour.

Dès qu'Alex Walters m'a touché la main, je suis partie en courant. Je courais à côté de Sandra Orr, et j'ai accéléré pour la battre. J'étais contente parce que je suis arrivée à la ligne blanche un pas avant elle.

Ce qui n'était pas facile

Dès que je suis arrivée, la maman volontaire m'a dit :

– Mets une caissette en papier dans chaque espace du moule à muffins. Et quand tu as fini, prends le moule avec les gants de cuisine.

Moule à muffins avec des trous dedans

Caissette en papier

Il faut en mettre une dans chaque trou...

Les caissettes étaient dures à mettre dans le moule parce qu'elles restaient toutes collées ensemble. Quand j'ai réussi à mettre la dernière, j'ai enfilé les gants et pris le moule.

Ce Qui Était Impossible

Courir avec le moule à muffins. Les caissettes en papier n'arrêtaient pas de s'envoler, il n'y avait pas moyen de les faire tenir dans le moule. Finalement, j'ai dû arrêter de courir et juste marcher super vite. Et avec les gants de cuisine, c'était compliqué de tenir le moule droit. Je ne sais pas si mon épreuve à moi avait l'air dure ou pas, mais elle l'était.

Ce Qui A Été Un Soulagement

D'avoir fini.

– Bien joué, m'a félicitée Ruth.

J'allais la remercier, mais elle s'était déjà retournée pour crier à Paul 1 :

– VAS-Y, PAUL !

Paul 1 avait la partie la plus difficile. Il devait mettre une fausse moustache et porter d'une seule main trois petites balles sur un grand plateau, avec une serviette posée sur l'autre bras. Heureusement qu'ils avaient mis les balles dans des caissettes en papier ; autrement, ça aurait été impossible. Déjà comme ça, ça avait l'air super dur.

La course devait sûrement être drôle à regarder pour ceux qui n'étaient pas dedans en espérant gagner. Je trouvais que Paul 1 se débrouillait pas mal du tout, mais tout à coup j'ai vu que Max et Brian Aber étaient presque sur la ligne d'arrivée. Je n'ai pas pu m'empêcher de crier :

– Vas-y, Paul 1 ! COURS !

Même si on allait perdre, on a crié jusqu'à la fin pour l'encourager.

– C'était génial ! s'est exclamé Alex Walters.

Du coup, j'ai crié :

– OUAIS !

Et je lui ai tapé dans la main.

– On a gagné ? a demandé Paul 1.

On a tous fait non avec la tête. J'ai cru qu'il allait être déçu, mais il s'est écrié :

– C'était trop marrant ! Dommage que ce soit déjà fini !

Il n'était pas le seul à penser ça. On se disait tous pile la même chose.

Ce qui est super

C'est l'équipe de Mimi qui a gagné. Même si mon groupe avait fait un mauvais score, on ne pouvait pas s'arrêter de sourire tous les quatre. J'ai cherché maman des yeux et je l'ai vue à l'autre bout du terrain, dans la queue pour acheter des cupcakes. J'avais complètement oublié qu'on les vendait. Soudain, j'ai eu une idée.

Pendant que tout le monde se pressait autour de Mlle Loïs et de M. Clausen, j'ai couru rejoindre maman.

– Je fais la queue pour t'acheter un cupcake, m'a-t-elle dit. Tu t'en es sortie comme une championne. La course était très chouette à regarder.

– Tu peux m'en acheter huit ? lui ai-je demandé.

Elle m'a regardée comme si j'étais folle.

– Tu ne vas pas manger HUIT cupcakes ! a-t-elle protesté.

J'ai répondu en tapotant mon estomac :

– Je suis affamée.

Mais elle n'a pas compris la blague.

– Maman ! Ça n'est pas pour moi ! C'est pour mes amis !

– Ça fait beaucoup d'amis, a répondu

maman. Tu es sûre qu'ils ont tous mérité d'en avoir un ?

– Absolument. Et en plus, je veux que tu achètes ceux que j'ai préparés.

Elle a soupiré et m'a obligée à attendre avec elle pour l'aider à les porter.

Ce Qui Est Un Peu Bizarre

Acheter ses propres cupcakes. J'ai dû payer pour les avoir, alors que c'est moi qui les avais faits !

Les cupcakes qui savent qu'ils sont à moi

Ce Qui Est Sympa

Regarder les gens goûter quelque chose en sachant déjà qu'ils vont adorer.

– C'est un régal ! a dit Ruth.

Alex Walters a fait oui avec la tête. Même s'il n'a pas parlé, j'ai bien vu qu'il les adorait aussi. Comme Paul 1 était parti aux toilettes, j'ai dû attendre pour lui donner le sien. En mangeant mon cupcake, j'ai écouté Mlle Loïs annoncer les noms des vainqueurs. C'était génial de voir Mimi, Sammy, Max et Sunni debout devant tout le monde. Mimi et Sunni ont mis sur leur tête les couronnes fabriquées par Mlle Loïs, mais Sammy et Max ont gardé la leur à la main. J'ai observé Mlle Loïs pour voir si ça l'embêtait, mais apparemment, ça lui était égal.

J'ai attendu qu'elle les ait pris en photo pour leur donner leurs cupcakes. Évidemment, ils les ont adorés !

J'espérais un peu que maman allait m'acheter un autre cupcake, mais quand je l'ai cherchée au stand des cupcakes, tous les miens avaient disparu. Quand quelque chose est bon, les gens le savent super vite. Il y avait d'autres cupcakes, mais je n'en voulais pas. Une fois que notre bouche a goûté un truc délicieux, elle ne peut pas reprendre des trucs normaux.

Ce qui n'est pas facile

Tenir un cupcake super bon sans le manger.

Une Énorme Surprise

Quand Paul 1 est revenu des toilettes, il m'a donné une carte. Même s'il était gêné, ça m'a quand même fait très plaisir. Toute mon équipe l'avait signée.

– Il l'a ratée, a dit Ruth en montrant le texte.

– Ça n'est pas ma faute ! a protesté Paul 1. Alex et toi, vous parliez tous les deux en même temps, en me disant d'écrire des trucs différents !

– Je t'avais dit d'écrire « chouette », lui a rappelé Alex.

– Et moi, « sympa », a ajouté Ruth.

– Personne n'a dit d'écrire « choupa », a précisé Alex.

J'ai regardé Paul 1. Il n'était pas content. Il avait la figure toute rouge, et je voyais qu'il allait dire quelque chose qui allait tout gâcher et énerver les autres.

– Tiens ! ai-je dit.

Et je lui ai fourré son cupcake dans la main. Pendant une seconde, il n'a pas su quoi faire. Son cerveau devait être en train d'hésiter entre dire ce qu'il allait dire et manger son cupcake. C'est dur d'ignorer un cupcake, surtout quand on l'a dans la main. Paul 1 a pris une énorme bouchée. Et j'ai souri.

– Moi, j'aime bien le mot « choupa », ai-je déclaré. Il est parfait !

Et le plus drôle, c'est que c'était cent pour cent la vérité.

Sympa + chouette = sympouette

Paul 1 a juste hoché la tête et continué à manger. Il ne pouvait plus parler, avec le délicieux cupcake de mamie dans la bouche. Et même si elle était très loin, là-bas, en France, mamie avait fait une chose qu'elle avait crue impossible : m'aider pour la kermesse.

Ce qui s'est passé après

Maman a dit que je pouvais rentrer à pied à la maison avec Mimi, Sammy et Max. Les garçons ont fait tout le chemin avec leur couronne sur la tête. Quand on est arrivés devant chez moi, ils m'ont ordonné de refaire des cupcakes.

– Vous n'êtes pas les chefs, ai-je protesté.

Mais, au fond, j'étais d'accord avec eux. Refaire des cupcakes, c'était une bonne idée.

Ensuite, Mimi est venue chez moi et, sur la petite table de l'entrée, il y avait une carte postale de mamie. C'était une photo de la tour Eiffel.

– J'aimerais bien aller à Paris, ai-je dit.

– Moi aussi, a dit Mimi. On n'aura qu'à y aller ensemble un jour, quand on sera plus grandes.

C'était une idée géniale ! Mimi et moi en haut de la tour Eiffel !

J'ai demandé :

– On fait le serment du petit doigt ?

Elle m'a regardée pendant une seconde et elle m'a tendu son petit doigt. Ce serment-là, j'étais sûre à cent pour cent que je ne le briserais pas.

Incroyable

– La France, c'est incroyable ! me suis-je exclamée.

– Et moi, je connais quelque chose d'encore plus incroyable, a dit Mimi.

– Quoi ?

– Que tu sois amie avec Paul 1 !

Et elle a éclaté de rire

– On n'est pas amis, ai-je signalé. C'est un truc différent.

Mais elle avait un peu raison. Maintenant, je ne trouvais plus que Paul 1 était casse-pieds tout le temps. Parfois, il était sympa.

Casse-pieds + sympa = cassepa

Il n'y a rien de mieux que de partager un cupcake pour guérir un choc. Même un cupcake un peu écrabouillé.

Et j'ai découvert un autre superpouvoir que la boule à devinettes ne connaît pas.

LES CUPCAKES AU CHOCOLAT

(pour 16 cupcakes moyens ou 12 cupcakes moyens et 12 mini)

Caissettes en papier

230 g de farine

3 cuillères à soupe pas trop remplies de cacao en poudre non sucré

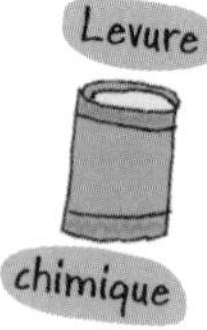

3/4 de cuillère à café de bicarbonate
alimentaire
1/2 cuillère à café de levure chimique
1/2 cuillère à café de sel
170 g de beurre doux, ramolli
150 g de sucre roux
2 gros œufs
60 g de chocolat noir, fondu
240 ml de lait ribot ou fermenté
ou 220 ml de yaourt brassé
+ 2 cuillères à soupe de lait
1 cuillère à café d'extrait de vanille

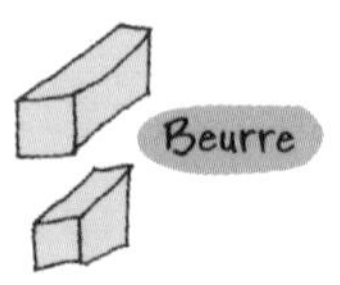

1. Fais préchauffer le four à 180 °C. Garnis les moules à muffins de caissettes en papier.

2. Dans un saladier de taille moyenne, mélange la farine, le cacao, le bicarbonate, la levure chimique et le sel. Dans un autre saladier, bats le beurre ramolli et le sucre avec un batteur électrique environ 3 minutes, jusqu'à ce que le mélange soit léger et mousseux.

3. Casse les œufs un par un dans le saladier du beurre, en mélangeant bien entre chaque œuf. Toujours en battant, ajoute le chocolat fondu. Diminue la vitesse du batteur. Verse un peu de mélange farine-cacao, puis un peu de lait ribot et ainsi de suite, en finissant par la farine. Ajoute l'extrait de vanille.

4. À l'aide d'une cuillère à soupe, verse la moitié de la pâte dans un sac à congélation. Coupe un des coins du sac pour faire un trou de 1/2 cm. Garnis les moules aux deux tiers, en pressant sur le sac pour faire sortir le mélange par le petit trou. Fais la même chose avec l'autre moitié de la pâte. Mets les moules au four et fais cuire les cupcakes 15 à 20 minutes, jusqu'à ce qu'ils soient dorés et qu'un cure-dent planté dedans ressorte propre. Sors les cupcakes du four, dépose-les sur une grille et laisse-les refroidir complètement.

Recette de Glaçage

GLAÇAGE MAISON AU FROMAGE FRAIS ET À LA VANILLE

Pour 700 g de glaçage

250 g de fromage frais (Philadelphia ou Saint-Morêt)
225 g de beurre doux à température ambiante

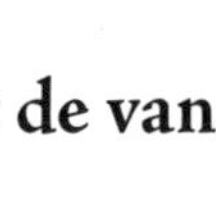

240 g de sucre glace
1 cuillère à café d'extrait de vanille

Bats le fromage frais, le beurre et la vanille jusqu'à ce que le mélange soit crémeux. Ajoute le sucre en le versant peu à peu avec un tamis. Bats jusqu'à ce que la crème soit mousseuse.

On a la classe !

Ce que Zoé se demandera dans son prochain livre

N° d'éditeur : 10199286
Achevé d'imprimer en avril 2014 par Pollina (85400 Luçon, Vendée, France) - L68443